Camille Loiselle

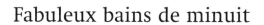
Fabuleux bains de minuit

Melissa de la Cruz

Un été pour tout changer

# Fabuleux bains de minuit

*Traduit de l'anglais (américain)*
*par Florence Schneider*

wiz
Albin Michel

DU MÊME AUTEUR CHEZ ALBIN MICHEL WIZ

Un été pour tout changer
Une saison en bikini

Titre original :
*THE AU PAIRS – SKINNY-DIPPING*
(Première publication : Simon & Schuster, New York, 2005)
© 2005 Alloy Entertainment et Melissa de la Cruz

Pour la traduction française :
© 2006, Éditions Albin Michel

*Ce roman est tendrement dédié à Jennie Kim,*
*parce qu'on ne peut écrire*
*sur des meilleures amies sans en avoir une,*
*à Sara Shandler, éditeur extraordinaire,*
*parce que ce livre est le sien autant que le mien,*
*et à Mike Johnston, parce que c'est comme ça.*

*Il est plus honteux de se défier de ses amis que d'en être trompé.*

La Rochefoucauld

*« It's gettin' hot in herre. » Ça chauffe là-dedans !*

Nelly

# Où Eliza apprend que feu et soufre sont très tendance cet été

Ça ne payait pas de mine, mais sans doute était-ce à cause de l'heure. Il était trois heures de l'après-midi et, au Septième Cercle, la dernière-née et bientôt la plus branchée des boîtes des Hamptons, les festivités ne débuteraient qu'après minuit. Ancienne grange à pommes de terre, le Septième Cercle était un bâtiment alambiqué à la façade couverte de bardeaux marron, niché dans les bois de Southampton. Seul un signe discret (sept cercles accrochés à un arbre, tout simplement), en retrait de l'autoroute, indiquait aux initiés qu'ils étaient parvenus à destination.

Eliza Thompson gara sa berline noire sur le parking, à la fois satisfaite et nerveuse. Elle vérifia son maquillage dans le rétroviseur et appliqua une épaisse couche de gloss. Puis elle plaça entre ses lèvres un mouchoir en papier et le retira lentement, ainsi que le conseillait le magazine *Allure*, afin d'éviter de se retrouver avec du rouge sur les dents.

Elle s'assura que son brillant à lèvres Chanel n'avait pas bavé. Rien. Parfait.

Eliza prit son sac Balenciaga en cuir métallisé, le modèle que tout le monde s'arrachait ces derniers temps. Elle l'avait acheté à Palm Beach, pendant les vacances de Noël, alors qu'elle travaillait comme fille au pair pour les Perry. Il contenait une feuille de papier enroulée résumant les brillantes qualifications d'Eliza : ses années de lycée à la Spence School (du moins jusqu'à la faillite de ses parents, l'année précédente, et le déménagement à Buffalo qui s'ensuivit) et un stage au magazine *Jane* (où aller chercher du lait de soja allégé et classer les vernis à ongles par ordre alphabétique faisaient partie intégrante de ses attributions), ainsi qu'une lettre de recommandation de son ami de longue date, Kit Ashleigh, jeune homme très en vue à Manhattan.

La vie redevenait presque belle, pour Eliza. Certes, les Thompson vivaient toujours à Buffalo, une vie qui n'avait rien à voir avec l'existence dorée qu'ils avaient menée à New York. Mais, au lieu d'être locataires d'un minable trou à rats, ils étaient désormais propriétaires d'un très correct quatre pièces dans la seule tour haut de gamme de la ville. Grâce à quelques vieux camarades et clients fidèles, son père remontait peu à peu la pente, et Eliza avait à nouveau de quoi s'offrir des sacs à mille dollars (OK, avec une carte à débit différé). Vu ses notes et les résultats de son test d'évaluation pour entrer à la fac – qui comptaient parmi les meilleurs, Eliza était loin d'être gourde – elle avait de bonnes chances d'obtenir une bourse et de parvenir, en fin de compte, à intégrer Princeton. Cet été, ses parents avaient même loué un modeste bungalow à Westhampton. Il avait la plus petite piscine qu'Eliza ait jamais vue – quasiment une baignoire ! – mais c'était tout de même une maison, elle était à eux (du moins pour l'été), et elle se trouvait dans les Hamptons.

Une seule chose la mettait mal à l'aise : ce qui s'était passé cet hiver, à Palm Beach. Elle aurait préféré étouffer l'affaire, mais les nouvelles circulaient vite dans les Hamptons. Eliza savait qu'il lui faudrait rapidement cracher le morceau.

Elle balaya cette pensée – mieux valait, pour le moment, se concentrer sur la tâche qu'elle s'était fixée : décrocher un job dans la boîte la plus branchée des Hamptons et reconquérir son titre de fille la plus cool de la ville.

Avant les problèmes d'argent et Buffalo, Eliza avait la réputation d'être la fille la plus jolie et la plus populaire sur le circuit des lycées privés new-yorkais. Sugar Perry, qui régnait désormais à sa place, n'était qu'une pâle copie d'Eliza du temps où celle-ci était le centre d'attention. C'était elle, alors, qui lançait les modes (les reflets platine, entre autres), qui était tenue au courant des meilleures soirées (les mardis chez Butter), et qui sortait avec les mecs les plus craquants (Charlie Borshok, qui jouait dans l'équipe de polo, et que Sugar avait également récupéré). Tout avait changé quand sa situation de fille au pair était apparue au grand jour. Mais c'était une nouvelle année, un nouvel été, et une nouvelle Eliza – qui par bonheur ressemblait comme deux gouttes d'eau à l'ancienne Eliza, la fille que tous les garçons rêvaient de connaître et que toutes les filles rêvaient d'*être*.

Il tombait toujours une petite pluie froide – ces averses étaient caractéristiques du début du mois de juin – quand Eliza émergea de la berline qu'elle était parvenue, à force de supplications, à soutirer à ses parents pour l'été. Elle jeta un coup d'œil à son téléphone portable, histoire de voir si Jeremy ne lui avait pas laissé de message. L'été dernier, Eliza était tombée amoureuse de Jeremy Stone, le beau gosse de dix-neuf ans qui s'occupait du jardin des Perry. Mais ils avaient rompu cet hiver, parce qu'ils habitaient trop loin l'un de l'autre.

Maintenant que c'était de nouveau l'été, Eliza mourait d'envie de le revoir. Elle ignorait encore quel rôle jouerait Jeremy dans ses plans pour revenir sur le devant de la scène, puisqu'il n'était ni riche ni célèbre (mais il était tout de même très, très mignon). Elle savait simplement qu'elle comptait bien l'y intégrer. Comment, c'était une autre histoire.

Pas de nouveaux messages ou textos. Eliza fourra son téléphone dans son sac et se dirigea vers la boîte de nuit.

La porte était grande ouverte. Elle entra donc. Le Septième Cercle : le lieu incontournable cet été... Or voilà, Memorial Day était passé depuis une semaine, et la boîte n'avait toujours pas été inaugurée. Une épaisse et récente couche de sciure jonchait le sol, et les types de l'équipe de construction étaient encore sur place, se hurlant des ordres les uns aux autres. La structure de la grange avait été modifiée, de façon à pouvoir accueillir un bar en zinc en forme de fer à cheval et un meuble range-bouteilles conçu spécialement pour le lieu. Haut de presque huit mètres, il occupait le mur du fond.

Tous les hommes levèrent la tête à l'arrivée d'Eliza. Certains sifflèrent à la vue de ses jambes halées, sous sa mini-robe rose – dans laquelle n'importe quelle autre fille aurait paru grosse ou enceinte. Eliza, quant à elle, paraissait jolie et sexy.

– Salut, je viens voir les patrons... Alan ou Kartik ? dit-elle en faisant une queue-de-cheval de ses longs cheveux blonds.

L'un des ouvriers émit un grognement et désigna le fond de la salle. Eliza enjamba délicatement un bac à peinture et, se frayant un chemin à travers les établis et deux ou trois sacs de pommes de terre poussiéreux, se dirigea vers deux types qui braillaient dans leurs téléphones portables.

14

C'étaient les soi-disant rois des nuits new-yorkaises. Mais bien qu'ils eussent pu dresser une pile haute jusqu'au plafond avec tous les articles parus sur eux dans les journaux, ni l'un ni l'autre ne dépassait le mètre soixante-cinq. Eliza les dominait, sur les semelles compensées hautes de dix centimètres de ses chaussures Christian Louboutin. Alan Whitman avait une calvitie naissante et le teint cireux, mais sa réputation datait du collège, époque où il avait commencé à dealer de l'herbe dans les boîtes tendance. Il avait lentement gravi les échelons dans les clubs les plus branchés de Manhattan, jusqu'à avoir rassemblé suffisamment d'argent pour ouvrir trois aires de jeux pour célébrités – le Vice, le Cirque et la Pluie-d'Or. Il aimait raconter qu'avant qu'il ne la prenne en main, Paris Hilton n'était qu'une mignonne élève de seconde du couvent du Sacré-Cœur de New York, qui remontait ses jupes d'uniforme autour de la taille pour les faire paraître plus courtes. C'est lui qui avait fait entrer Paris dans l'une de ses boîtes alors qu'elle était encore mineure. C'est lui, encore, qui avait prévenu la presse à scandale quand elle s'était mise à danser sur les tables – ou à en dégringoler. Quant à son collaborateur Kartik (connu sous ce seul nom), il venait de Miami et, dans son adolescence, avait été pote avec Madonna – laquelle était alors une icône pop qui portait des colliers de chien, et non une auteure de livres pour enfants mal fagotée qui se faisait appeler Esther.

– Comment ça, va falloir attendre pour vendre de l'alcool ? Tu rigoles ou quoi ? glapissait Alan dans son téléphone.

– Évidemment qu'on a la licence, bébé ! assurait Kartik d'une voix mielleuse dans le sien. On est prêts à démarrer. Tout est au point pour l'after, y a pas de souci !

Eliza se tenait patiemment à l'écart, regardant les deux types raconter à leurs interlocuteurs deux histoires différentes. C'était encourageant, vraiment : si Alan Whitman, ex-ado boutonneux qui revendait des sachets de marijuana cachés dans son sac à dos de lycéen pouvait devenir le patron de boîte le plus réputé de New York, Eliza Thompson, coqueluche déchue de Manhattan, trouverait bien le moyen de régner un jour sur les Hamptons !

# En soixante secondes chrono, Mara redevient quelqu'un

En voyant la limousine extra-longue s'engager dans son allée, Mara Waters comprit que sa vie allait redevenir intéressante. Il n'était pas rare, pendant la période des bals de promo, de trouver des limousines de location garées devant les petits ranchs proprets. Mais celle-ci n'arborait pas un autocollant « LOUEZ-MOI. COMPOSEZ LE 1800 ! » sur son pare-chocs. Au lieu de ça, il y avait un chauffeur en uniforme, qui ouvrit un parapluie au-dessus de la tête de Mara et prit les bagages des mains de son père stupéfait.

Anna Perry avait dit à Mara qu'elle enverrait une voiture, mais Mara ne s'attendait pas à quelque chose d'aussi somptueux. Mais il est vrai qu'Anna Perry, la très jeune et très capricieuse seconde épouse de Kevin Perry – l'un des avocats les plus réputés et les plus redoutés de New York –, ne faisait rien comme Madame Tout-le-monde. Elle avait exigé que Mara soit sur place le plus vite possible et, en général, Anna obtenait ce qu'elle désirait. Ses nouveaux voisins, les Reynolds, devaient se rendre dans les Hamptons depuis Cape Cod dans leur jet privé. Elle les avait convaincus de prendre Mara au passage.

Retourner dans les Hamptons en jet privé... Voilà qui

contrastait du tout au tout avec son retour à Sturbridge, en août dernier, dans un car en piteux état. Elle venait de passer le plus bel été de sa vie et de se faire les meilleures amies du monde : Eliza, une New-Yorkaise issue d'une famille richissime mais ruinée, et Jacqui, une fille tellement sublime que les hommes se jetaient littéralement à ses pieds. On les avait engagées, cet été-là, pour veiller sur les enfants Perry, contre la jolie somme de dix mille dollars. Mais leur amitié avait été encore plus précieuse. Toutes trois étaient aussi différentes que possible. Or, entre le gratin à conquérir, les fêtes où s'incruster et les enfants à surveiller, elles avaient formé une équipe soudée.

Si Mara avait passé un été aussi merveilleux, c'était aussi grâce à Ryan Perry, le frère aîné des gamins qu'elle gardait. Elle était tombée follement amoureuse de lui, et ils avaient fini par sortir ensemble pendant la dernière semaine. Au moment des adieux, elle lui avait dit qu'elle aurait voulu pouvoir le ramener chez elle, afin qu'il rencontre sa famille et voie où elle vivait. Mais quelques heures plus tard, quand elle était descendue au minable arrêt de Sturbridge, cela avait cessé de lui paraître une bonne idée.

Elle eut le ventre noué quand sa sœur Megan vint la chercher dans leur Ford Taurus 1988 toute cabossée. Mara portait toujours sa tenue fétiche des Hamptons : un corsage à liseré en dentelle, un treillis délavé et des mules à talons ornées de strass. Ses cheveux sentaient encore le shampooing à la lavande d'Eliza, mais, à la vue de la voiture de sa sœur, la réalité la frappa de plein fouet. Mara n'avait jamais eu à rougir de ses origines. Mais après un été passé dans les Hamptons, voilà qu'elle pensa soudain *Non, ce n'est pas assez bien*. La famille de Ryan avait un chef cuisinier à demeure, celle de Mara un micro-ondes vieux de quinze ans.

Elle inventa une foule de prétextes pour remettre à plus tard la visite de Ryan, prétendant avoir un examen à réviser ou une dissertation à rédiger. Enfin, en novembre, elle prit le train pour Groton, afin de lui rendre visite dans son lycée privé archisélect. Mais elle eut l'impression de détonner parmi les amis de Ryan, et cela la mit mal à l'aise. La semaine suivante, elle rompit, lui disant ce qu'elle n'avait cessé de se répéter depuis son retour à Sturbridge : ils s'étaient bien amusés pendant l'été, mais ce n'était pas la vraie vie. Entre eux, ça ne pourrait jamais marcher.

Quitter Ryan était une chose. L'oublier en était une autre. Elle pensait constamment à lui et regrettait, sans oser se l'avouer, qu'il n'ait pas cherché davantage à la faire changer d'avis. À l'annonce de la rupture, il s'était montré parfaitement compréhensif, et c'était là le problème : Ryan était presque trop gentil. Si seulement il avait hurlé ou pleuré, ou s'était battu pour sauver leur relation ! Peut-être, au fond, ne souhaitait-elle que cela ? Qu'il lui dise qu'elle lui manquait, qu'il avait vraiment besoin d'elle. Or il s'était contenté de répliquer : « Si c'est ce que tu désires... » Ce à quoi elle avait répondu : « Oui. » Ils avaient donc rompu et, depuis, plus de nouvelles de Ryan.

Elle avait poliment décliné la proposition de garder les enfants Perry pendant leurs vacances de Noël à Palm Beach – elle craignait que cela ne lui fasse bizarre de revoir Ryan. Or, au printemps, elle ne l'avait toujours pas oublié, et avait réalisé quelle erreur ça avait été de rompre. Elle était toujours amoureuse de lui, si bien que quand Anna Perry l'avait appelée pour lui proposer de reprendre son ancienne place (avec une augmentation : douze mille dollars pour l'été !), Mara s'était aussitôt demandé ce qu'elle porterait quand elle reverrait enfin Ryan – et qu'ils retomberaient dans les bras l'un de l'autre, comme si l'année écoulée n'avait jamais eu lieu. Elle avait tant de fois imaginé la scène qu'elle commençait réellement à croire que ça ne pouvait pas se passer autrement.

Il plut durant tout le trajet jusqu'à l'aérodrome privé de Barnstable, à Hyannis. La voiture s'arrêta juste devant le tarmac. Sous une tente blanche, on avait déroulé un tapis rouge pour accéder à un avion argenté aux formes profilées exhibant, sur l'aile, un « R » étincelant. Lorsqu'un steward vêtu d'un uniforme bleu impeccable prit ses sacs – ses cabas LL Bean adorés, achetés l'été dernier –, Mara constata avec embarras que le chariot à bagages ne contenait que d'élégantes valises à roulettes en étoffe de nylon. Pourquoi fallait-il toujours qu'elle soit à côté de la plaque ?

Une grande femme en caftan brodé et pantoufles de raphia, arborant le plus gros diamant que Mara eût jamais vu, lui fit signe d'avancer, depuis le haut de la rampe d'accès.

– Dommage qu'il pleuve, n'est-ce pas ! Ils ont annoncé des averses mais tout de même... C'est presque un ouragan ! Je me présente : Chelsea Reynolds. Bienvenue, bienvenue ! Vous y voilà... Attention à la flaque, sur la dernière marche ! Anna m'a demandé de déposer une amie, mais elle ne m'a jamais dit que c'était *vous* !

Comment ça, *elle* ? Mara s'apprêtait à lui poser la question. Mais elle avait à peine mis le pied dans l'avion qu'on l'enlaça chaleureusement.

– Si ce n'est pas Mlle Waters ! La diva ! Où étais-tu passée, ma chérie ? demanda Lucky Yap en rajustant son boubou imprimé léopard.

Lucky était l'un des plus importants photographes spécialisés dans la presse people. C'était lui, le véritable arbitre de la vie mondaine. Si vous étiez en vue, Lucky prenait votre photo. S'il ne le faisait pas, vous pouviez aussi bien déménager du côté du New Jersey.

– Salut Lucky !

Mara sourit, tandis que Lucky embrassait l'air autour de son visage. Il lui tendit une coupe de champagne et la présenta rapidement aux autres passagers, un parfait échantillonnage de snobinards des Hamptons, tous vêtus de vêtements traditionnels africains à imprimés similaires – ils paraissaient revenir d'un safari au Kenya. Il y avait quelques noms importants, et les parasites habituels – mélange d'héritières authentiques, de beautés mondaines bien conservées, et de jolies attachées de presse qui accompagnaient les présentatrices de E !, la chaîne consacrée aux célébrités.

– Tout le monde connaît Mara, n'est-ce pas ? Ma muse ? brailla Lucky.

L'été dernier, Mara avait aidé Lucky à mener à bien une mission délicate. En gage de reconnaissance, le célèbre paparazzi avait imposé sa présence dans les pages people.

– Bien sûr, répliqua une fille au charmant visage. On ne se serait pas rencontrées au Polo Grill ?

– J'adore votre chemise. Elle vient de chez Proenza ? demanda l'une des journalistes de mode en palpant l'étoffe de son chemisier rose à pois, qu'elle portait avec un bermuda blanc et des espadrilles à semelles compensées en liège.

Ayant passé tout un été en compagnie de deux bêtes de mode – Jacqui et Eliza –, Mara avait forcément recueilli quelques tuyaux. Flattée du compliment, elle n'eut pas le cœur d'avouer que c'était une imitation qu'elle avait payé quinze dollars chez H&M.

Lucky prit plusieurs photos d'elle, puis se pencha pour glisser quelques mots à l'oreille de sa voisine. Mara distingua parmi les chuchotements qui s'ensuivirent son nom associé à celui de Ryan Perry.

L'hôtesse la conduisit au siège libre le plus proche, et Mara sirota son champagne avec délectation, savourant l'atmosphère et écoutant les potins qu'ils ramenaient du mariage auquel tous avaient assisté, à Cape Cod. Après une année à Sturbridge, où le piano-bar de l'hôtel Hyatt était l'endroit le plus chic de la ville, elle avait oublié comment vivaient les heureux de ce monde.

– Oh, voilà Garrett ! murmura la voisine de Mara d'une voix haletante.

– Monsieur Reynolds ! s'exclama Lucky. Je peux vous prendre en photo ?

Levant les yeux, Mara vit émerger du cockpit un jeune homme aux cheveux en bataille. Aussitôt, toutes les filles du groupe se redressèrent et tentèrent de croiser son regard. Il brandissait une bouteille de champagne, un grand sourire aux lèvres. Il était diaboliquement beau, avec ses mèches de cheveux noirs à la Jude Law qui lui retombaient sur le front. Sa chemise blanche et froissée sortait à moitié de son pantalon noir en flanelle.

– Toi ! dit-il en franchissant l'allée centrale et en piquant droit sur Mara.

Son regard noir et profond, aussi sombre que ses cheveux, était mis en valeur par les cils les plus fournis qu'eût jamais vus Mara.

– Viens avec moi ! dit-il, en la prenant par la main sans qu'elle puisse protester.

Comme Garrett l'entraînait, le groupe s'écarta pour les laisser passer. Cachant mal leur jalousie, les filles fusillèrent Mara des yeux, pendant que Lucky hochait la tête en signe d'approbation. Heureuse d'avoir été distinguée, Mara se sentit spéciale et ne put s'empêcher de penser : *Ohé les Hamptons, me revoilà !*

# Jacqui retrouve son sérieux...
## en matière de shopping

Avec un grand sourire, le caissier de la librairie Bookhampton lui fit signe de ranger sa carte bancaire, bien que Jacqui insistât pour payer ses livres. Elle aurait bien aimé, juste une fois, rencontrer un gars qui voie en elle autre chose qu'un corps digne de figurer dans le calendrier Pirelli. Ça commençait à lui taper sur les nerfs, d'être traitée comme un joli petit animal par des hommes toujours prêts à signer des chèques, à régler la note, à ramasser l'addition. Il n'y avait pas si longtemps que ça, Jacqui les laissait volontiers payer. Elle avait une garde-robe pleine de vêtements Louis Vuitton, Gucci ou Prada pour en témoigner. Mais les choses avaient évolué. L'été dernier, l'horrible Luca Van Varick lui avait brisé le cœur. Depuis, elle était déterminée à devenir une fille bien, quelqu'un que l'on pourrait prendre au sérieux.

– *Por favor*, j'insiste, répéta Jacqui, s'efforçant de le faire changer d'avis.

– Désolé, votre argent n'est pas valable ici, répéta le caissier boutonneux, même si Jacqui savait que son boss ne le raterait pas au moment des comptes.

Mais c'était l'effet que Jacqui faisait aux hommes. Quelque chose – ses yeux légèrement en amande, peut-être, ou ses lèvres pulpeuses (sans parler de son impressionnant 95C) – transformait un vendeur binoclard de quarante et quelques kilos en bouffon protecteur et macho gonflant le torse, capable de tout pour l'impressionner.

– Cadeau de la maison ! ajouta-t-il.

Jacqui soupira, prit à contrecœur le sac en plastique et le glissa dans son fourre-tout en cuir verni. Elle sortit et traversa la rue, afin d'aller s'installer sur un des bancs du parc pour attendre Eliza. Quelle belle journée ! À l'averse du matin avait succédé un rayonnant soleil de juin et un pépiement continu s'échappait des minuscules boutiques de Main Street : en cette nouvelle saison qui commençait, quels vêtements choisir pour les barbecues sur la plage, ou pour les cocktails des ventes de charité ? Jacqui ignora les œillades des frimeurs roulant en Porsche, et les regards scrutateurs et jaloux de la brigade des botoxisées. Elle s'assit et se plongea aussitôt dans la lecture de son ouvrage, un guide des meilleures facultés d'Amérique.

Étonnant, comme consacrer un peu de temps à ses études avait amélioré ses résultats scolaires ! C'était tellement gratifiant de ramener chez elle un relevé de notes correct, pour changer. Sa grand-mère n'en revenait pas – au cours de l'année dernière, Jacqui avait passé plus de temps à la bibliothèque que dans les galeries commerciales, et elle parlait même d'entrer à l'université. Autrefois, la seule chose qui passionnait Jacqui, c'était de savoir si elle parviendrait à mettre la main avant tout le monde sur la dernière étole en fourrure de chez Prada. Autrefois, elle n'avait qu'une vague idée de ce qu'elle comptait faire plus tard. Elle s'était toujours figuré qu'elle finirait par épouser un type deux fois plus âgé qu'elle et par occuper sa vie en cures de thalasso et essayages chez les grands couturiers, tout en fermant les yeux sur les infidélités de son mari. C'est à ce genre de vie que son éducation l'avait préparée.

Sa mère, ex-deuxième dauphine à un concours de Miss Univers, avait eu son lot de soupirants – du fils du patron de la plus grande compagnie d'électricité du pays au fils d'un grand propriétaire terrien éleveur de bovins. Au lieu de ça, elle avait préféré épouser un bel ingénieur en génie civil, doté de merveilleux yeux noirs et d'une totale absence de fortune familiale. Roberto Velasco appartenait résolument à la classe moyenne dans un pays d'extrême richesse et d'extrême pauvreté. Les Velasco menaient une existence plutôt heureuse à Campinas, la mère de Jacqui se contentant de régenter la bonne société locale. Mais elle désirait davantage pour sa fille. C'est pourquoi elle l'avait envoyée vivre chez sa grand-mère à São Paulo. Là, Jacqui avait fréquenté la même école privée que les filles des membres de la classe dirigeante.

Or son beau visage et ses courbes voluptueuses n'avaient fait qu'attiser la jalousie des filles riches, avec qui elle n'avait pas pu, par conséquent, se lier d'amitié. Pendant un temps, elle était consciencieusement sortie avec les arrogants rejetons des propriétaires terriens et des producteurs de sucre. Mais elle s'était vite lassée, et avait découvert que la véritable aventure se trouvait plutôt dans les bras de leurs pères, mariés et plus âgés.

C'est alors que Luke Van Varick, son Luca, était entré dans sa vie. Un sympathique Américain au sourire flegmatique, portant un énorme sac à dos... Elle l'avait rencontré alors qu'il profitait des vacances de printemps pour explorer le pays, et elle en était tombée follement amoureuse. Au terme d'une aventure de deux semaines, il lui avait dit qu'il l'aimait et avait disparu dans la nature. Elle l'avait traqué jusqu'aux Hamptons, mais il s'était avéré que son Luca avait toujours appartenu à une autre.

Si bien que Jacqui avait changé son fusil d'épaule : elle ferait un si bon boulot cet été que les Perry la recommanderaient comme nounou à demeure chez l'un ou l'autre de leurs amis fortunés. Ainsi elle pourrait s'installer à New York et suivre, grâce à un programme d'échanges, une terminale au lycée Stuyvesant, établissement privé très sélectif. Si elle y obtenait de bons résultats, elle aurait une chance de pouvoir entrer à l'université de New York et de faire quelque chose de sa vie. Elle était reconnaissante à Kit, un ami d'Eliza, de lui avoir mis cette idée en tête lorsqu'ils avaient traîné ensemble à Palm Beach, pendant les vacances d'hiver. Il lui avait parlé de sa sœur aînée, qui n'en avait pas fichu une rame au lycée jusqu'à la terminale, et était désormais en première année à l'université de New York.

Afin de pouvoir réaliser ses rêves, Jacqui s'était fixé une série de règles, la principale étant : *Fini les garçons !* Ils n'étaient bons qu'à vous troubler l'esprit, et si Jacqui avait pu résister aux plus beaux gosses du Brésil, elle pourrait aisément faire de même aux Hamptons. Elle parviendrait à garder la tête froide, à s'occuper des gamins et à assister à des cours de préparation à l'examen d'entrée à la fac, les soirs où elle aurait quartier libre. Grâce à Dieu, elle prouverait au monde qu'elle n'était pas qu'un clone sans cervelle de Gisele Bündchen.

Elle étudia attentivement les pages du guide : il contenait

les photographies d'étudiants en pull assis sur des pelouses verdoyantes, d'innombrables tableaux statistiques concernant la discrimination positive et les bourses accordées aux élèves méritants, et des témoignages d'élèves. Bon... c'était un peu ennuyeux, certes. Sans doute pouvait-elle trouver mieux à faire, en attendant ? Elle referma l'ouvrage et consulta sa montre. Eliza devait passer la prendre dans une demi-heure et la boutique Scoop paraissait affreusement tentante, sur le trottoir d'en face. Ce n'était pas parce qu'elle prenait ses études au sérieux qu'elle n'avait plus le droit de se livrer à son passe-temps favori, tout de même.

Une fille avait bien le droit de s'acheter un nouveau bikini, après tout.

# Eliza apprend que l'enfer est pavé de célébrités

– Tu as déjà travaillé comme serveuse ? demanda Alan Whitman, lorsque tous trois eurent pris place sur des fauteuils club enveloppés de housses en plastique, au fond de la salle.

Il avait à peine jeté un coup d'œil au CV d'Eliza. Au grand dam de celle-ci, son fauteuil émettait, chaque fois qu'elle bougeait, une sorte de couinement évoquant un phénomène physique embarrassant. Par bonheur, aucun des deux hommes ne paraissait s'en rendre compte.

– Pas véritablement, répondit-elle. Mais j'ai hâte d'apprendre. À ce que j'ai lu dans le *Times*, vous avez l'intention d'étendre vos activités à la publicité, à la commercialisation et au lancement de produits de marque, et c'est vraiment vers ça que j'aurais envie de me...

– Tu connais des people ? Des gens en vue ? l'interrompit Kartik, l'air concentré.

– Euh..., hésita Eliza.

– Ashley et Jessica Simpson ? Ou les sœurs Perry ?

– Bien sûr, on fréquentait... euh, enfin... on fréquente le même lycée, dit-elle avec soulagement.

– Comme tout le monde... Mais tant mieux ! On a vraiment

besoin de ce genre de clientèle, répliqua Kartik en fronçant les sourcils. Il y a cinq nouvelles boîtes qui ouvrent cet été, et il nous faut les gens les plus excitants. Je ne veux pas de *has been*, de ploucs, ou de mochetés. Je veux voir Mary-Kate Olsen vomir dans les toilettes, si tu vois ce que je veux dire.

Eliza hocha la tête.

– Bordel, Kartik, c'est pas parce qu'elle t'a envoyé balader que tu dois être si dur avec elle ! s'esclaffa Alan.

Son partenaire l'ignora, préférant sonder Eliza du regard.

– Je peux pas te dire à quel point il est crucial d'avoir ici quelqu'un qui sache reconnaître tout le monde, de Tara Reid aux photographes de la page 6 du *New York Post*. Il faut connaître le monde de la nuit.

Il marqua une pause, pour donner plus de poids à ses paroles.

– On a eu un gars, à la Pluie-d'Or, qui n'a pas laissé entrer JC Chasez ! OK, je sais que les gars de 'N Sync ne sont pas faciles à reconnaître sans Justin Timberlake, mais mec, ça a été ma fête, je te dis pas ! Tu saisis, une fois que ça aura démarré, ici ce sera Beverly Hills, SoHo et Saint-Tropez réunis. Et au bord de la mer, qui plus est !

Eliza s'abstint de lui faire remarquer que Saint-Tropez *était* au bord de la mer.

– Ton rôle est super-important. Tu es comme un meneur de jeu qui doit savoir négocier ses virages, glissa Alan en s'embrouillant dans ses métaphores sportives. Tous les soirs, le Septième Cercle va être le centre du monde, tu saisis ? C'est comme ça qu'on fonctionne. Une sacrée constellation de stars ! s'exclama-t-il en tapant du poing sur le plateau en zinc de la table basse.

– Ça marche comme ça, dit Kartik d'un ton suffisant. Pour commencer, il faut des célébrités. Ce sont elles qui attirent les ploucs prêts à payer trente dollars d'entrée pour pouvoir les regarder bêtement.

Alan approuva et précisa :

– Les cocktails de vingt centilitres hors de prix et allongés d'eau ont toujours meilleur goût si Chauncey Raven est à la table voisine, en train de faire des mamours à son dernier mari en date. Alors, invite les sœurs Perry, dégote-leur une table et fais en sorte qu'elle soit au deuxième niveau, là où elles pourront voir tout le monde, et où tout le monde pourra les voir. La règle d'or : faire en sorte de satisfaire les people. Pigé ?

– Ne jamais rien leur refuser ! enchaîna Kartik, et il vint aussitôt à l'esprit d'Eliza qu'elle assistait à un numéro bien rodé.

– Lindsay Lohan veut que Domino lui livre une pizza à trois heures du matin. Pas de problème ! Avril Lavigne a besoin d'un hélicoptère privé pour retourner en ville ? Rien de plus simple ! R. Kelly veut une strip-teaseuse pour sa soirée d'anniversaire. Y a qu'à demander !

Il brandit un poing pour souligner l'importance de ses paroles.

Eliza hocha vivement la tête. Au magazine, lors d'une séance photo, on lui avait demandé de remplir la cuvette de pétales de gardénias chaque fois que la diva photographiée allait au petit coin. Par conséquent, elle avait l'habitude de satisfaire aux exigences ridicules.

– Bien sûr, pour les civils, les règles changent du tout au tout, dit Alan sur un ton mielleux. Si c'est un groupe de mecs, multiplie l'addition par deux, ils ne s'en rendront pas compte. Ne leur donne jamais la même table, à moins qu'ils n'en aient réservé une pour l'été entier. Dans ce cas, dès qu'ils ont fini leur bouteille à cinq cents dollars, tu leur en rapportes une. Qu'ils en consomment minimum deux par heure. C'est ce qui permettra d'essuyer les frais généraux.

– Et n'oublie pas : faut t'habiller sexy, être sexy, te sentir sexy, tu vois ce que je veux dire, ricana Kartik. Crois-moi : minijupe égale maxi-pourboire. Et quand je dis mini, c'est plutôt ras les fesses, hein, bébé ?

Il joignit le geste à la parole en cinglant le haut de ses cuisses avec la tranche de sa main droite.

Alan tendit la main et saisit le coude d'Eliza, qui eut un mouvement de recul.

– Et, quoi qu'il arrive, ne laisse jamais – je dis bien jamais – entrer quelqu'un qui n'est pas sur la liste. La liste, c'est Dieu tout-puissant ! Ma propre mère pourrait être là à poireauter dehors, si elle est pas sur la liste... eh ben pas de bol m'man mais tu rentres pas ! La seule exception, c'est les célébrités, mais ça, ça va sans dire. Là-dessus, je rigole pas. Ne laisser entrer absolument personne, il y a que ça à faire pour que cet endroit reste branché.

Un mannequin en tee-shirt taille 6 ans et jean déchiré sortit des toilettes et s'écroula sur l'accoudoir du fauteuil d'Alan.

– J'ai faim, bébé ! geignit-elle en faisant la moue.

Eliza la reconnut, pour l'avoir vue, dernièrement, dans une pub pour la marque de sous-vêtements Victoria's Secret. Dans le spot, la fille était vêtue d'un body en dentelle et d'ailes d'ange. Le spot avait agacé Eliza – il fallait vraiment avoir un imaginaire érotique un peu naze pour associer des sous-vêtements à des appendices ringards et couverts de plumes.

– Va voir le cuisinier, qu'il te prépare quelque chose ! rétorqua Alan d'une voix irritée.

– J'adore ton collier, dit le mannequin avec un très fort accent, détaillant rapidement Eliza.

Celle-ci hocha la tête.

– Merci.

Elle tripota le cordon de cuir que Ryan lui avait donné à Palm Beach, un peu nerveuse.

– Qu'est-ce que tu en penses ? Tu te sens d'attaque ? reprit Kartik. Tu es prête à passer le meilleur été de ta vie ?

Eliza sourit, songeant que ce n'était pas la première fois qu'elle entendait ça.

– Je commence quand ? demanda-t-elle.

Elle n'en revenait pas d'avoir décroché si facilement le boulot. Elle serait de retour sur le devant de la scène en moins de temps qu'il ne faut pour dire « Strictement sur invitation ».

– Samedi, répondirent en même temps Alan et Kartik.

– Dans deux jours ?

Eliza blêmit, et jeta un coup d'œil alentour. Oh hé, les plaques de plâtre n'étaient même pas recouvertes...

– Pas de panique ! la rassura Kartik. On inaugure la boîte en douceur avec l'avant-première d'*Autant en emporte le vent*. Tu sais, le remake avec Jennifer Love Hewitt et Chad Michael Murray ? C'est pour rendre un service à une amie. Mitzi Goober, tu connais ?

Eliza hocha la tête. Mitzi était la RP la plus redoutée de la région de New York, rien que ça. À vingt-sept ans, elle avait eu son heure de gloire lorsque le magazine *New York* avait titré en couverture « Une fêtarde qui a du chien ! » : deux ans plus tôt, elle avait fait un mois de prison après que son chihuahua s'était attaqué au gilet bordé de fourrure d'une innocente serveuse, laquelle s'était retrouvée à l'hôpital tandis que Mitzi faisait les gros titres des journaux à scandale. On racontait que Mitzi avait ri de l'incident et traité la serveuse de « victime de la mode », déclenchant une lutte des classes qui avait abouti à interdire aux chiens miniatures trop agressifs l'accès à certains cafés et restaurants des Hamptons. Or voilà que Mitzi était de retour, un best-seller à son actif – le récit de son séjour en prison. Et elle était plus populaire que jamais. C'était le syndrome Paris Hilton : rien de tel, dans les Hamptons, que la publicité négative.

– Mais..., balbutia Eliza en désignant le chaos environnant.

Difficile d'imaginer que, dans moins de quarante-huit heures, l'endroit pourrait ressembler à un bar convenable.

– Oh, d'ici là ils auront fini, crois-moi ! Tu as quel âge, au fait ?

– Je viens d'avoir dix-sept ans..., dit-elle d'une voix hésitante, en se demandant si elle n'aurait pas dû mentir.

Kartik la rassura d'un geste de la main.

– Pas de problème, du moment que tu ne travailles pas derrière le bar.

Eliza réalisa qu'elle ignorait toujours la nature et l'importance de sa fonction. Elle craignait de paraître grossière en demandant des précisions, d'autant que l'entretien était visiblement terminé. Elle se dit qu'ils s'accorderaient plus tard sur les détails.

– Alors comme ça les gars, vous êtes des fans de Dante ? leur lança-t-elle en se dirigeant vers la porte.

– Hein ?

Kartik la fixa sans comprendre. Alan, quant à lui, avait commencé à bisouter le mannequin mineur. Ses mains avaient déjà disparu sous le tee-shirt de la fille.

– Le nom de la boîte... le Septième Cercle. C'est le septième cercle de l'enfer, non ?

Son nouveau boss la regarda comme si elle était demeurée. Elle se demandait bien pourquoi. Elle se rappelait avoir appris en cours de littérature que, dans *La Divine Comédie* de Dante, le septième cercle était l'endroit de l'enfer où la violence et l'orgueil avaient conduit Alexandre le Grand, Attila le Hun et un tas de personnages historiques importants.

– Ouais, si tu le dis..., répliqua-t-il en haussant les épaules. Il est cool, Dante. C'est le nouveau DJ qui vient de Paris, c'est ça ?

De toute évidence, être cultivée ne faisait pas partie des qualités requises dans son nouveau boulot. Porter une mini-jupe et satisfaire aux exigences des célébrités, c'est tout ce qu'on attendait d'elle. Ce n'était pas sorcier.

# Où Mara fait (involontairement) un numéro digne d'une strip-teaseuse

– Je m'appelle Mara, au fait, dit-elle au beau brun occupé à déboucher une bouteille de champagne.

Elle se demandait pourquoi il s'intéressait tellement à elle, alors que plusieurs filles, dans l'avion, gagnaient leur vie grâce à leur ravissant minois. Et pourtant, il leur avait à peine accordé un regard. Mara et lui étaient assis l'un en face de l'autre, dans les confortables fauteuils en cuir caramel de l'espace détente situé derrière le cockpit.

– Je sais qui tu es, dit-il d'un ton sirupeux. Tu travailles pour les Perry, pas vrai ?

Lui tendant la main, il se présenta :

– Garrett Reynolds.

Mara avait déjà tiré ses conclusions. C'était l'avion privé de ses parents. Et elle avait affaire à *la* fameuse famille Reynolds, les tout derniers milliardaires américains intronisés par le magazine *Forbes*. Le père de Garrett, Ezra Reynolds, contribuait à enlaidir le ciel de New York en marquant tous ses immeubles de la lettre « R ».

Garrett abaissa une table pliante en métal dissimulée derrière un panneau latéral, sortit des flûtes à champagne d'un meuble adjacent et entreprit de les disposer en deux rangées sur le plateau. Le personnel de bord procéda à la fermeture des portes et l'avion commença de rouler sur la piste. Mara remarqua l'absence de laïus sur les consignes de sécurité, l'évacuation d'urgence, ou la manière de se servir de son coussin de siège comme dispositif de flottaison (quoiqu'elle aurait parié que le vison ne flottait pas). Garrett et elle étaient même parmi les rares passagers à être assis.

– Ça m'a l'air méchant là-dehors, dit Mara, tandis que la tempête faisait bruyamment vibrer l'avion.

– On ne dépasse que d'un demi-point les normes minimales de sécurité, confirma Garrett.

Puis il lui expliqua que, contrairement aux lignes commerciales, tenues de respecter les consignes de l'administration fédérale interdisant les vols dans certaines conditions climatiques extrêmes (comme la violente tempête de pluie dans laquelle ils étaient pris), les avions privés n'étaient pas soumis à de telles contraintes. Du moment que la vitesse du vent ne dépassait pas certaines limites, ils étaient libres de voler.

– J'ai l'impression que ma mère tient à ne pas rater son rendez-vous chez le coiffeur, s'esclaffa Garrett.

Mara n'était pas sûre qu'il plaisantait. Cette Chelsea Reynolds était bien capable de risquer sa peau pour un brushing. Mara ne s'étonnait plus de rien, vu ce qu'elle savait de la vie dans la bonne société des Hamptons.

– Accroche-toi ! l'avertit Garrett, en coinçant sous son menton le magnum de champagne.

L'avion décolla comme une auto tamponneuse sur un trampoline, et Mara perçut les gloussements effrayés des passagers ballottés comme des boules de flipper. Par miracle, les verres, sur la table, ne bougèrent pas d'un millimètre.

– Il y a des aimants collés en dessous, expliqua Garrett avec un sourire en remplissant les flûtes tandis que l'avion, secoué de tous côtés, prenait de la hauteur.

Mara s'agrippa nerveusement aux accoudoirs, alors que le fracas du tonnerre et le battement de la pluie contre les hublots laissaient Garrett totalement indifférent.

– C'est toujours aussi... euh... agité ? demanda Mara en s'efforçant désespérément de ne pas perdre l'équilibre comme l'avion rencontrait une violente turbulence.

S'il y avait une ceinture de sécurité, elle était bien cachée.

– Avec les avions de petite taille, on est davantage secoué au décollage. C'est sûr, le climat n'arrange rien. Mais c'est rien comparé à l'atterrissage ! ajouta-t-il.

Lorsque toutes les flûtes furent remplies à ras bord de champagne, Garrett la fixa avec insistance. Mara ne put s'empêcher de comparer son regard à celui de son chat Boule Puante quand il lorgnait Blue, le perroquet de sa sœur.

– Il y a un vieux dicton dans l'Ouest..., lança Garrett d'une voix traînante, sans cesser de la fixer.

Mara sourit. C'était donc pour cela qu'il l'avait choisie ! C'était un jeu qui aurait pu s'intituler « Faisons boire la nouvelle venue ». Il la croyait née de la dernière pluie, ou quoi ? À Sturbridge, les chopes de bière remplaçaient les coupes de champagne, mais Mara aurait juré que les règles étaient les mêmes.

– Au Texas, il est toujours midi ! rétorqua Mara d'un ton grave, tandis que Garrett hochait la tête d'un air admiratif en constatant qu'elle avait reconnu les paroles rituelles qui annonçaient le début du jeu.

– Et à midi, nous... levons notre verre ! s'exclama Garrett en saisissant une première coupe.

Mara se jeta sur la sienne, et commença à engloutir le liquide frais et pétillant.

– Et nous recommençons ! s'écria joyeusement Garrett en vidant une seconde flûte, tandis que celle de Mara était encore à moitié pleine.

Elle la reposa bruyamment, étonnée d'avoir été battue, et en prit aussitôt une deuxième. Elle gagna difficilement le deuxième round mais, à partir de là, Garrett ne cessa plus de l'emporter – jusqu'à ce que toutes les flûtes soient vides, du côté de Mara. Nom de Dieu, ce gars était trop fort ! À Sturbridge, Mara avait flanqué la pâtée à nombre de concurrents, collant même la honte de leur vie aux plus soiffards des joueurs de foot. C'est Jim, son ex-petit ami, qui lui avait donné le bon tuyau : ne pas respirer.

– Impressionnant, dit-elle en guise de compliment.

– Merci.

Garrett sourit.

– Tu t'en tires pas mal non plus.

Mara se décontracta dans son fauteuil, oubliant quelques instants sa peur des turbulences lorsqu'un cahot particulièrement violent l'éjecta de son siège. Elle atterrit sur les genoux de Garrett.

– Oh mon Dieu ! Je suis désolée ! s'exclama-t-elle en s'efforçant de se remettre debout.

– Tout le plaisir est pour moi, répliqua gaiement Garrett en soutenant Mara, alors que l'avion était agité par de nouvelles secousses.

Elle s'agrippa à lui, rebondissant sur ses genoux plusieurs fois de suite.

– Alors comme ça, tu es ce genre de fille ? plaisanta Garrett.

Le commentaire la fit rougir. Ce mec était odieux, mais néanmoins charmant. Mara remarqua malgré elle qu'il la tenait d'une main ferme...

– Tu me rends dingue ! grogna-t-il, à fois taquin et séducteur. Tu ne veux pas qu'on dîne ensemble ce week-end ? Comme ça, on pourrait apprendre à se connaître, au lieu de passer tout de suite à l'action.

– Impossible, répondit-elle en secouant la tête. J'ai du travail, je suis désolée.

Elle se demanda ce que penserait Ryan s'il pouvait la voir à présent, assise sur les genoux d'un autre.

– Je vais quand même réserver une table, dit-il avec un haussement d'épaules. On fera comme si j'avais rien entendu.

Quelques minutes plus tard, l'avion se stabilisa et le pilote annonça qu'il volait désormais au-dessus des nuages et avait atteint sa vitesse de croisière. Garrett aida Mara à se rasseoir, s'inclina et, très gentleman, lui frôla la main d'un baiser. Elle poussa un soupir de soulagement lorsqu'il la pria de l'excuser, et alla s'occuper de ses autres invités. Il était classe, d'accord, mais Mara avait le sentiment qu'il obtenait toujours ce qu'il désirait – quand il ne l'achetait pas. Or Mara n'était pas à vendre.

# Dans le jargon des filles, « Ce que tu as bonne mine ! » signifie « Je suis tellement contente de te revoir ! »

Dans la boutique Scoop, Jacqui traitait la cabine d'essayage comme une porte à tambour, prenant des poses à brefs intervalles avec chaque bikini, et éliminant ceux qui étaient trop serrés sur la poitrine ou trop riquiqui sur les fesses. L'année précédente, son string lui avait valu quelques ennuis à Georgica Beach, et elle ne souhaitait pas en être chassée à nouveau pour avoir enfreint les règles qui protégeaient les plages des Hamptons d'une invasion de fesses à l'air.

Lorsque Eliza la retrouva, elle portait un bandeau sur les seins, et vérifiait l'aptitude d'une minuscule culotte à cacher son postérieur, en écartant les jambes et en effectuant une série de flexions-extensions devant le miroir à trois faces, à la grande consternation d'un groupe de clientes vertes de jalousie.

– Désolée, je dérange ? plaisanta Eliza tandis que Jacqui s'accroupissait une fois de plus dans son minuscule morceau d'étoffe.

– Liza ! s'écria gaiement Jacqui.

Elle se releva pour accueillir son amie, et toutes deux s'étreignirent chaleureusement, les rangées de bracelets en or d'Eliza cliquetant contre les épaules nues de Jacqui.

Eliza écarta les bras de Jacqui et admira la façon dont celle-ci remplissait son bikini Jean-Paul Gaultier.

– Ce que tu es belle ! s'exclama-t-elle.

– Non, *chica*, c'est toi qui es belle ! glapit Jacqui.

Toutes deux gloussèrent et roucoulèrent, avec l'enthousiasme qui caractérise les filles : elles se firent d'interminables compliments sur leurs coiffures et sur leur perte de poids respective (réelle ou imaginaire).

– Comme je ne t'ai pas vue à l'arrêt du bus, j'en ai conclu que tu serais là, expliqua Eliza. Je suis désolée d'être en retard. L'entretien a duré un petit moment.

– Comment ça s'est passé ? demanda Jacqui en s'engouffrant dans la cabine pour se changer.

– Super bien. J'ai décroché le boulot ! répondit Eliza en admirant un cabas.

– Génial ! se réjouit Jacqui, qui émergea vêtue d'une robe gitane taille haute et de sabots à talons hauts Gucci. Vous acceptez la carte American Express ? s'enquit-elle auprès de la vendeuse en lui tendant le deux-pièces.

– J'ai le temps de jeter un coup d'œil avant qu'on aille chercher Mara ? demanda Eliza, examinant attentivement un poncho crocheté, pendant que Jacqui réglait son achat.

– Je crois que son avion arrive maintenant, donc il vaut mieux pas.

– Bon, d'accord, dit Eliza.

Elle regarda avec regret la nouvelle collection de paréos aux couleurs vives Matthew Williamson.

– On reviendra.

– Alors, comment ça va depuis tout ce temps ? lança Jacqui alors qu'elles étaient en route pour l'aérodrome d'East Hampton.

Elles baissèrent toutes les vitres de la voiture d'Eliza, bien que cette dernière fût une fan de la climatisation. Les filles ne s'étaient pas vues depuis Palm Beach, où elles avaient dévalisé les boutiques de Worth Avenue et passé du temps à la piscine des Quatre-Saisons, traînant les gosses dans leur sillage. Elles s'étaient rendues à un bal de Noël du tonnerre au Colony Club et à un somptueux réveillon de nouvel an dans un hôtel cinq étoiles, le Breakers. Les vacances s'étaient déroulées à merveille. À un détail près : Mara n'était pas là. Jacqui avait hâte qu'elles se retrouvent enfin toutes les trois. Mais auparavant, il lui fallait s'assurer qu'Eliza avait bien l'intention de s'alléger la conscience quant à ce qui était arrivé en l'absence de Mara.

– Je vais bien, répondit Eliza, avant de lui faire part de ses intentions de conquérir le monde (ou du moins, les Hamptons) cet été-là.

Elle s'apprêtait à travailler dans la boîte la plus branchée et à fréquenter les gens les plus en vogue du moment. Pour elle, ce n'était même pas un boulot, mais plutôt... un titre, une position. Elle incarnerait à elle seule l'esprit du Septième Cercle. Son ancienne bande viendrait et bientôt, c'est elle qui mènerait le jeu. Elle n'avait aucune raison de se sentir gênée cet été, et comptait sur son lien avec Alan et Kartik pour l'aider à retrouver sa place dans la vie sociale des Hamptons.

– Tu as déjà revu Ryan ? demanda Jacqui, faisant dévier la conversation sur le sujet qui l'intéressait.

– Non, mais on s'est échangé des e-mails, et on s'est parlé

au téléphone l'autre soir. Il n'y aura pas de malaise, à mon avis.

Eliza s'était efforcée d'oublier cet épisode, mais le fait d'être sortie avec Ryan Perry – l'amoureux de sa meilleure copine – ne s'oubliait pas si facilement. Surtout quand il fallait tout avouer à la copine en question.

– Je veux dire... on était bourrés, on a fait une bêtise. Entre nous, ça n'a jamais été autre chose que de l'amitié.

Après la soirée de Sugar et Poppy au Breakers, Eliza et Ryan étaient revenus à l'hôtel chercher une paire de tongs pour Eliza – ses chaussures Christian Louboutin lui faisaient un mal de chien. Ils étaient tous deux complètement bourrés au champagne et, pour la première fois depuis le début des vacances, d'humeur joyeuse. Ryan avait eu des moments sombres, Mara ayant rompu et renoncé à venir à Palm Beach. Et Eliza était déprimée car Jeremy lui avait dit qu'il valait mieux qu'ils ne cherchent pas à se revoir avant l'été, tant c'était dur pour eux de vivre si loin l'un de l'autre. Ryan avait repéré *Le Parrain* dans le programme d'une chaîne câblée payante. Ils s'étaient blottis l'un contre l'autre sur le lit, comme du temps où ils étaient gosses et avaient appris toutes les répliques par cœur.

– Laisse le flingue, prends les cannolis ! s'étaient-ils exclamés en même temps, avant d'éclater de rire.

Et puis, soudain, voilà qu'il s'était mis à l'embrasser... à moins que ce ne fût elle... et ça s'était bêtement emballé. Elle n'avait jamais voulu que ça arrive et ça ne signifiait rien du tout, assurait-elle.

– Dès que je vois Mara, je lui raconte tout, assura-t-elle d'une voix péremptoire en crispant si bien ses mains autour du volant que les jointures devinrent livides. J'ai hâte de me débarrasser de ce poids, tu comprends ? Je me suis dit que ce serait trop dur de lui en parler au téléphone ou par e-mail. Je veux pas qu'elle puisse imaginer que ça compte plus que ça.

– Tu as tout à fait raison, approuva Jacqui.

Elle était soulagée qu'Eliza soit prête à cracher le morceau. Eliza avait absolument tenu à ce que le Secret de Palm Beach reste un secret. À contrecœur, Jacqui lui avait promis de ne rien révéler à Mara, en conséquence de quoi elle n'avait plus parlé à cette dernière depuis le nouvel an. Jacqui ne voulait pas avoir à lui mentir et, avec les études et le décalage horaire, il était facile de cesser d'être en contact.

– Allez, dis-m'en davantage sur ton nouveau boulot, lança Jacqui, désireuse de changer de sujet face à l'embarras d'Eliza. Tu vas vraiment rencontrer autant de stars ?

Eliza s'exécuta avec joie et toutes deux, balayant Palm Beach de leur esprit, bavardèrent et échangèrent des potins jusqu'à l'aérodrome d'East Hampton. C'était un terrain à l'écart, auquel on accédait par de petites routes. À leur arrivée, elles trouvèrent Mara très entourée, occupée à faire la bise à une foule de gens pleins aux as. Eliza reconnut certains des membres de la haute société rassemblés autour d'elle, et cela l'impressionna. Certes, son amie ayant eu droit non à un, mais à trois portraits dithyrambiques dans les journaux des Hamptons l'été dernier, Eliza ne s'étonnait pas de son succès. Qu'elle l'ait désiré ou non, Mara était devenue une personnalité des Hamptons.

Eliza donna un coup de klaxon.

– Nous voilà !

Elle ouvrit la portière et s'élança hors du véhicule, suivie par Jacqui. Elles avaient hâte de retrouver Mara – la dernière fois qu'elles s'étaient vues toutes les trois ensemble remontait au mois d'août – et de renouer le fil de leur amitié.

Le visage de Mara s'illumina et elle se précipita à la rencontre de ses amies.

– Salut les filles ! lança-t-elle d'un ton euphorique, en serrant vivement Eliza contre son cœur. Ce que vous m'avez manqué ! ajouta-t-elle en étreignant Jacqui avec la même chaleur. Vous êtes à tomber par terre !

Les roucoulades et les exclamations enthousiastes reprirent. Eliza et Jacqui s'extasièrent sur les reflets de Mara tandis que celle-ci les complimentait sur leur bronzage et leurs jolis vêtements.

– Nom de Dieu, j'arrive pas à croire que je suis de retour. C'est comme si j'étais jamais partie ! dit Mara en agitant la tête, secouée d'un hoquet.

– Mara, tu ne serais pas un peu soûle ? demanda Eliza.

Et dire que l'été dernier, Mara était tellement sage qu'il leur avait presque fallu l'emmener de force à des soirées.

– Un tout petit peu, gloussa Mara. J'ai bu quelques coupes de… (nouveau hoquet) … de champagne Cristal dans l'avion.

Jacqui écarquilla les yeux, admirative. Un avion privé, du champagne à cinq cents dollars – cette fille savait se débrouiller.

Les trois amies souriaient jusqu'aux oreilles, en se rappelant le merveilleux été passé ensemble l'année précédente, et en se demandant quelles aventures, bonnes ou hasardeuses, leur réservait celui-ci. Tout était d'un vert éclatant après l'averse et l'air embaumait le sel et la terre, et s'y ajoutait un merveilleux parfum boisé. Les trois filles n'en revenaient pas de leur bonne fortune : être ici, dans les Hamptons, enfin réunies !

Mara fourra ses bagages dans le coffre et ouvrit la portière arrière.

– Euh..., commença-t-elle, ne sachant où poser ses fesses.

La banquette ressemblait au caddie d'un SDF. Elle était envahie de bouteilles d'eau vides, de sacs de shopping déchirés, de boîtes à chaussures, de CD, d'emballages de barres de chocolat light et de paquets de tortilla chips allégées. C'était inattendu, pour quelqu'un d'aussi soigné qu'Eliza. Comment une fille aussi soucieuse de ses habits, de ses cheveux et de son look en général pouvait-elle traiter sa voiture comme une poubelle ? C'était une des choses que Mara appréciait tant chez elle : il était impossible de la réduire à un stéréotype.

– Oh là là ! Désolée du bordel, dit Eliza, embarrassée.

Mara sourit et déplaça un sac de vêtements sortis du pressing afin de pouvoir s'asseoir.

– Qui a faim ? demanda Mara. À bord, il y avait ces amandes de Majorque... Il y en avait tellement que j'en ai pris deux sachets. Elles sont super-bonnes.

Eliza démarra et Mara leur tendit les snacks chapardés dans l'avion.

– Alors, dites-moi tout ! C'était comment, Palm Beach ? Eh, les filles, vous ne m'avez jamais raconté comment ça s'était passé !

Pas tout à fait remise du vol, elle planait encore un peu. Garrett avait caboté tout au long du voyage. À un moment, il avait même transformé l'avion en boîte de nuit volante et avait fait tournoyer Mara jusqu'à ce qu'elle soit prise de vertige. Sa bonne humeur était si contagieuse que Jacqui oublia momentanément que Palm Beach était un terrain miné.

– C'était génial ! s'exclama Jacqui. On a emprunté les robes que les jumelles s'étaient fait faire pour leur premier rallye. J'ai porté un modèle Christian Lacroix au corsage décoré de perles cousues main, dont Poppy ne voulait pas. Et Eliza a pu mettre cette sublime robe Chanel que Karl a dessinée exprès pour Sugar.

Mara poussa des « Oh » et des « Ah » en écoutant Jacqui décrire la maison et le réveillon du nouvel an, et Eliza comprit que le moment était venu d'avouer à sa meilleure amie ce qu'elle avait fait avec son ex-petit copain.

– Mara, faut que je te dise un truc très important, au sujet de Palm Beach...

Mara fixa Eliza, intriguée. Si elle avait un mauvais pressentiment, elle n'en montrait rien. Son visage était ouvert et plein de candeur.

Jacqui retint son souffle. Elle était presque parvenue à balayer de ses pensées le secret d'Eliza. Or, posant tour à tour les yeux sur l'une et l'autre de ses amies, elle savait que ce qui allait suivre, elle ne risquerait pas de l'oublier de sitôt.

# Chez les Perry, les filles rencontrent le dernier gadget importé de France...

– Une seconde ! s'écria Mara, coupant la parole à Eliza.

La radio diffusait une vieille chanson de Madonna, et Mara se pencha entre les deux sièges avant pour augmenter le son.

– *Papa don't preach !* se mirent-elles à chanter d'une seule voix. *I'm in trouble deep !*

Mara était la fille la plus heureuse du monde. Quelle joie de retrouver Jacqui, Eliza et les Hamptons ! Ses amies lui avaient terriblement manqué. Là-bas, chez elle, il n'y avait personne d'aussi drôle qu'Eliza ou d'aussi déluré que Jacqui.

La chanson s'acheva mais, avant qu'Eliza eût pu dire un mot, Mara lâcha soudain :

– C'est fou ce que j'ai envie de revoir Ryan !

– Ah oui ? fit Jacqui. Alors que tu as rompu avec lui ?

– Je sais, je sais, soupira Mara, toujours un peu pompette. Vous savez les filles, je pense vraiment avoir fait une bêtise. Enfin... il m'a dit qu'il m'aimait toujours, même après que je lui ai dit qu'on ne pouvait pas continuer, et j'espère juste que... je sais pas... Vous savez s'il sort avec quelqu'un ? demanda-t-elle d'un ton plein d'espoir.

Eliza se racla la gorge. Quitte à parler, il fallait qu'elle se décide vite, avant que cela ne devienne encore plus difficile.

49

De toute évidence, Mara était encore amoureuse de Ryan, et Dieu sait que ce serait terrible, pour elle, d'apprendre qu'il était sorti avec une de ses amies. Il valait mieux en finir au plus vite. Mara lui en voudrait, mais elle finirait par comprendre et, avec un peu de chance, par lui pardonner.

– Mara, écoute, c'est important ! Je t'en prie, ne te mets pas en colère, d'accord ? Parce que ça ne signifie rien, *je te le jure*. Cet hiver, à Palm Beach, je...

– C'est là que j'ai pas assuré, l'interrompit à nouveau Mara, visiblement sourde à l'angoisse de plus en plus perceptible dans la voix d'Eliza. Ce que je regrette de ne pas être allée à Palm Beach ! Nom de Dieu, je sais pas ce qui m'a pris de renoncer... Si seulement, je t'avais écoutée, Jacqui !

Jacqui demeura silencieuse.

– Enfin... alors, c'était quoi, ce que tu voulais me dire, Eliza ? Pourquoi je devrais me mettre en colère ? demanda Mara en entreprenant de natter les cheveux d'Eliza, qui retombaient sur le dossier du siège. Il s'est passé quoi, à Palm Beach ?

– Pendant les vacances de Noël, je... je...

Eliza avait la gorge nouée. Elle respira un bon coup.

– ... j'ai décidé de ne pas travailler pour les Perry cet été. Je ne vais pas être fille au pair.

– *Hein ?* s'exclamèrent en même temps Jacqui et Mara, choquées pour des raisons différentes.

Eliza se mordilla la lèvre. Elle avait été sur le point de tout révéler à Mara, pour de bon. De tout lui avouer, histoire de mettre tout ça derrière elle. Mara n'avait rien à voir avec ses anciennes amies Lindsay et Taylor qui, les hypocrites, l'avaient salement laissé tomber l'année dernière.

Eliza avait toujours eu le sentiment de pouvoir tout dire à Mara. Bon, d'accord, elles ne s'étaient pas donné beaucoup de nouvelles au cours de l'année scolaire, mais cela ne changeait rien : c'est comme si elles s'étaient quittées à la veille.

Eliza haussa les épaules, à l'intention de Jacqui. Elle savait que cette dernière la prendrait pour une lâche et une menteuse. Elle pourrait vivre avec ça, plutôt que de devoir briser les espoirs de Mara. Elle avait trop peur de la blesser. Par ailleurs, raisonna-t-elle, la meilleure chose à faire, c'était de ne rien dire. Ainsi Mara et Ryan pourraient se remettre ensemble sans rien avoir à se reprocher. Si Eliza ignorait le problème, il finirait bien par disparaître, non ?

– Tu fais quoi, alors ? demanda Mara, arrachant Eliza à son débat intérieur.

– Je travaille au Septième Cercle, la nouvelle boîte de nuit, répondit fièrement Eliza. C'est vraiment chouette – je vais apprendre des tas de choses en matière de relations publiques, et ce genre de trucs. Je n'ai pas vraiment besoin du salaire des Perry cet été. Les affaires de mon père vont mieux, et il n'est pas impossible qu'on retourne s'installer en ville l'année prochaine.

Mara se laissa retomber sur la banquette.

– Tu étais au courant, Jacqui ?

Jacqui hocha la tête.

– Et tu ne m'en as rien dit ? gémit Mara.

– Je suis désolée… Je croyais qu'Eliza t'avait envoyé un e-mail, bredouilla Jacqui en fusillant une nouvelle fois Eliza du regard.

Cela dit, songeait Jacqui, si cela contrariait tant Mara de ne

51

pas avoir été informée des projets estivaux d'Eliza, mieux valait ne pas lui avoir révélé le secret de Palm Beach.

– C'est super, dit Mara. Enfin... je suis vraiment contente pour toi, Eliza. Mais qu'est-ce qu'on va faire sans toi ? Qui va terroriser William pour qu'il obéisse enfin ? On se verra, au moins ?

– Qu'est-ce que tu racontes ? On se verra tout le temps ! promit Eliza.

Elle tourna dans l'allée des Perry, où étaient garées plusieurs voitures de luxe. La dernière acquisition en date était une étincelante Toyota Prius, une voiture à moteur hybride qui constituait la toute nouvelle obsession des Hamptons en matière automobile. Les Prius étaient politiquement correctes, respectueuses de l'environnement et incroyablement difficiles à obtenir – il y avait une liste d'attente de six mois, et certains véhicules se négociaient avec un supplément de cinquante pour cent au-dessus des prix de vente officiels. L'Aston Martin de Ryan Perry était garée à côté. Mais Ryan demeurant un sujet délicat, nul ne fit de commentaire.

Laurie, l'assistante personnelle d'Anna Perry, une femme d'une quarantaine d'années à la chevelure hirsute, portant son mobile autour du cou et vivant par procuration la vie de ses employeurs, les attendait devant le porche.

– Hello les filles ! Soyez les bienvenues ! Eliza, qu'est-ce que tu fais là ? Anna et les gamins sont encore en ville et n'arriveront que demain dans la matinée. Ils étaient censés venir aujourd'hui, mais Kevin a eu besoin de l'hélicoptère pour un rendez-vous de dernière minute dans le Connecticut, et Anna n'avait pas envie de se coltiner les embouteillages. Ryan et les jumelles ne doivent pas être bien loin. Jacqui et Mara, vous pourrez disposer de votre soirée après avoir préparé la chambre des enfants.

Elles suivirent Laurie à l'intérieur de la maison et trouvèrent la demeure des Perry inchangée, avec ses bouquets somptueux disposés un peu partout, son parquet en zebrano au brillant irréprochable... Toutes les pièces paraissaient prêtes à faire l'objet d'une séance photo pour un magazine déco. Laurie leur expliqua que les Perry conservaient un personnel réduit chargé de veiller à ce que la maison soit toujours parfaite, même en plein hiver. Ce afin qu'ils puissent y débarquer à tout moment, même si, hors saison, il s'écoulait parfois plusieurs mois d'une visite à l'autre.

– C'est quoi, ce bruit ? demanda Mara. C'est une bétonnière ?

Son père travaillant dans la construction, ce son lui était familier.

Laurie grimaça et se plaqua les mains sur les oreilles.

– C'est le château des Reynolds. Ils ne sont pas censés poursuivre les travaux après cinq heures de l'après-midi. J'ai déjà fait remarquer à Anna que nous devrions alerter la municipalité.

Les trois filles s'avancèrent discrètement vers la baie vitrée et jetèrent des coups d'œil à l'énorme construction qui était en train d'être édifiée sur une demeure victorienne traditionnelle déjà existante. Une structure de bois alambiquée, comprenant des tours, des poivrières et même ce qui avait tout l'air d'être des douves, semblait s'étendre sur toute la longueur de la propriété et s'avancer jusqu'à la plage. Une immense grue soulevait plusieurs colonnes grecques plaquées or. Elles assistèrent, fascinées, à la pose d'un vitrail haut de douze mètres au dernier étage.

– C'est une honte, ce qu'ils font subir à l'ancienne propriété des Rockefeller ! siffla Laurie, aussi outrée qu'une véritable aristocrate d'East Hampton. C'est une horreur absolue !

– Eh les filles, je vais vous aider à porter vos bagages, dit Eliza en prenant le vanity-case de Jacqui et les magazines de Mara.

Les filles traversèrent la cuisine jusqu'à la porte de service donnant sur la terrasse et le jardin. Les pelouses étaient impeccables, un jeu de croquet installé pour qui voudrait disputer une partie et, au loin, les courts de tennis et les terrains de basket venaient visiblement d'être repeints.

– Oh mon Dieu ! C'est qui ? chuchota Eliza à l'adresse des deux autres, tandis qu'elles arrivaient au patio de la piscine.

Étendu sur un matelas pneumatique, au milieu de la piscine à débordement, se trouvait le plus beau garçon qu'elles eussent jamais vu. Sa silhouette était mince et dorée, de ses cheveux couleur de miel à son bronzage caramel. Une cigarette au coin des lèvres, il portait des lunettes d'aviateur et tenait à la main un cocktail frappé décoré d'une ombrelle miniature.

– *Bonjour*[1], lança le beau jeune homme d'une voix traînante, en laissant courir un doigt dans l'eau.

Jacqui eut le souffle coupé. Avait-elle déclaré : « Fini les garçons » ? Pouvait-elle faire une exception, pour le plus splendide spécimen qu'elle eût jamais contemplé ?

Il releva ses lunettes de soleil, et les détailla de pied en cap avec un sourire taquin.

---

1. En français dans le texte.

– Salut, marmonna Mara.

– *Bonjour* toi-même, rétorqua Eliza.

– *Boa tarde*, dit Jacqui en souriant de toutes ses dents.

– *Je suis* Philippe Dufour. Vous devez être mes collègues de travail. Deux d'entre vous, du moins, expliqua-t-il avec un séduisant accent français.

– Collègues de travail ? demanda Mara. Vous n'êtes tout de même pas...

Il sourit, tira une bouffée de sa cigarette, et laissa tomber la cendre dans l'eau d'un bleu chimique.

– *Mais oui*, je suis le nouveau garçon au pair.

# Les règles
## ne sont-elles pas faites
## pour être enfreintes ?

Laurie les mit au parfum, sur le chemin du cottage des domestiques : Philippe était le neveu français de la nounou française habituelle, qui rentrait tous les étés dans sa famille en Cornouailles. Philippe était arrivé le matin même. Il était inscrit dans un lycée londonien, d'où son anglais quasi parfait. Aspirant à devenir joueur de tennis professionnel, il espérait se faire une réputation en remportant le tournoi de tennis Rolex, qui se tenait chaque mois de juillet à East Hampton. En plus de veiller sur les enfants, il leur donnerait des cours de tennis.

– Comme vous pouvez le constater, il est ici comme chez lui, commenta Laurie d'un ton légèrement désapprobateur. Ça y est, nous y voici ! dit-elle en ouvrant en grand la porte du cottage.

Il était en tous points semblable au souvenir qu'elles en gardaient. Jusqu'à la troisième marche de l'escalier branlant, qui grinçait toujours... Leur chambre était aussi dépouillée et austère qu'une cellule de prisonnier, mais elles ne s'attendaient pas à mieux. Il y avait deux lits superposés et un lit une place, dotés d'oreillers fatigués et de couvertures rêches. Contre le mur d'en face, il y avait deux commodes, un fauteuil usé jusqu'à la corde et une table de nuit avec une lampe qui ne marchait plus très bien depuis qu'Eliza s'était pris les pieds dans le cordon, un soir de juillet, un an plus tôt. Il y avait cependant une nouveauté : un interphone blanc flambant neuf qu'Anna avait fait installer, expliqua Laurie, afin de pouvoir aisément contacter les filles (et le garçon) au pair.

Mara et Jacqui commencèrent à défaire leurs bagages en discutant de cette innovation fascinante (le garçon, pas l'interphone !) tout en choisissant leurs commode et lit respectifs.

– Tu veux le lit du haut ? proposa Mara à Jacqui.

– Oui. Je te remercie, répondit Jacqui en écartant le rideau de l'unique vasistas. À ton avis, où est-ce qu'ils ont installé le garçon ?

Mara haussa les épaules. Philippe lui était complètement sorti de la tête... Elle revoyait l'Aston Martin garée dans l'allée, et se demandait si Ryan était quelque part dans la propriété. Peut-être était-il dans sa chambre, ou dans la cuisine ? Et si elle explorait un peu les lieux ?...

Eliza s'assit sur le lit une place, sans réussir à se sentir à sa place. Elle était pleine de nostalgie en se rappelant l'été dernier et tous les incroyables moments passés ensemble dans cet espace exigu – à fumer en cachette à la fenêtre ou à descendre les bouteilles de vodka chipées dans le placard à alcools des Perry. Dire que sur le lit où elle était assise, Jeremy et elle étaient sortis ensemble ! Mais ses regrets s'évanouirent lorsqu'elle remarqua des moutons de poussière sous la table de nuit et se souvint de la chambre climatisée qui l'attendait, dans la maison que sa famille avait louée pour l'été.

– Eh... Il est chouette, ton collier ! Ryan Perry a le même, non ? demanda Mara.

Levant les yeux alors qu'elle déballait ses affaires, elle avait aperçu le cordon de cuir qu'Eliza triturait du bout des doigts, perdue dans ses pensées.

– Oh !

Eliza s'empressa de retirer ses mains de son cou. Nerveuse, elle jeta un regard alentour.

– Oh, c'est rien, un vieux truc que j'ai dégoté Dieu sait où...

– Vous avez traîné ensemble en Floride ? reprit Mara d'une voix pleine de langueur. Toi et Ryan ? Tu l'as trouvé comment ?

Eliza rougit.

– Comment ça ?...

– Eh bien, je sais pas... Il avait quel air ? Il sortait avec quelqu'un ?

– Je l'ai trouvé comme d'habitude, répondit Eliza en haussant les épaules. Il n'était pas souvent à la maison. À part ça, les filles, vous avez vu ce mec, dans la piscine ? On peut dire que vous avez du bol ! fit-elle remarquer, histoire de changer de sujet.

Elle leur fit signe d'approcher.

– À ce que j'ai entendu dire, les Français sont chauds...

Mara et Jacqui gloussèrent.

C'est alors que Philippe entra, répandant autour de lui une odeur de tabac et d'huile solaire au coco. Pour Jacqui, c'était l'odeur la plus sexy du monde.

– *Bon !* s'exclama-t-il en se frottant les mains. *Ça devrait être amusant, trois filles et moi !*

– Tu n'es quand même pas censé dormir ici ? demanda Mara, comprenant vaguement qu'il parlait de la chambre.

Anna n'aurait pas eu idée de mettre deux filles et un mec ultra-sexy dans la même chambre ? Certes, Anna n'était pas vraiment du genre à respecter la bienséance... Mara n'en revenait pas.

Jacqui haussa les épaules. Où était le problème ? Visiblement, Mara n'avait jamais fréquenté les auberges de jeunesse européennes.

Philippe allait donc dormir dans la même chambre qu'elles. Comme ce serait... pratique.

– Si, répondit Philippe.

Il fouilla dans le dernier tiroir de la commode, en sortit une chemise et un caleçon et commença à retirer son slip de bain.

– Une seconde ! s'écria Mara. Tu te crois où ?

Elle savait qu'elle se comportait en rabat-joie, mais honnêtement, il dépassait les bornes. Elle se fichait bien qu'il soit français et charmant. Elle n'avait pas envie de se sentir mal à l'aise tout l'été. Il faudrait qu'il apprenne à respecter sa pudeur à elle – si lui-même n'en avait pas.

Eliza et Jacqui avaient l'air déçues. Le peu que Philippe avait dévoilé leur avait donné envie de voir le reste. Elles s'étaient réjouies de ce strip-tease inattendu.

Le garçon haussa les épaules.

– On n'a pas le droit de se déshabiller ? Je suis pourtant dans ma chambre !

Eliza et Jacqui regardèrent, amusées, Mara pousser Philippe vers le couloir, en lui maintenant avec fermeté les bras le long du corps. Elles retrouvaient la Mara collet monté qu'elles avaient connue !

– En Amérique, on se change en privé ! insista Mara. (Elle retourna dans la chambre en se frottant les paumes, consternée.) Ce type est pas croyable ! Quoi qu'il en soit, Jacqui, j'ai l'impression qu'il a pris la commode à côté du lit. Eh bien... On partage le placard, alors ? Et puis il faudrait qu'on aille voir Laurie, qu'elle nous dise ce qu'on a à faire.

– Ouais... Je devrais peut-être y aller, dit Eliza d'un ton contraint, en se levant et en ramassant son sac.

Ça lui faisait bizarre de revoir leur ancienne chambre sans pouvoir y rester.

– Eh, les filles, vous faites quoi demain soir ? Vous ne voulez pas venir passer la soirée chez moi ? Je ne commence pas à travailler avant samedi.

– Pourquoi pas..., répondit Jacqui.

Pour la seconde fois en quelques minutes, elle réalisait qu'ignorer toutes les tentations pour devenir la baby-sitter idéale ne serait pas une tâche aussi simple que prévue.

– ... si on parvient à mettre les gamins au lit de bonne heure.

– Compte sur nous, on viendra ! dit Mara.

S'il y avait une chose qu'elle avait apprise l'année dernière, c'était bien celle-ci : elles trouveraient toujours le moyen de s'occuper des gamins *et* de s'amuser.

Eliza écarquilla les yeux et sourit. Jacqui se comportant en personne responsable ? Mara se déclarant prête à faire la fête ? Décidément, les choses changeaient ! Toutes deux étreignirent Eliza, et promirent de l'appeler bientôt.

Lorsque Eliza partit, le claquement de ses mules se faisant

entendre dans l'escalier, Philippe reparut dans la pièce. Il était rasé de frais et portait une chemise Oxford amidonnée et un jean parfaitement repassé.

– C'est mieux comme ça ? demanda-t-il à Mara.

Elle approuva sèchement. Elle avait fini de ranger ses vêtements – elle en avait emporté peu, comparé à Jacqui, dont la garde-robe occupait déjà tout le placard.

– Je vais voir ce dont Laurie a besoin pour la chambre des enfants, dit-elle.

– Je te rejoins, promit Jacqui, évitant de croiser le regard de Mara.

Elle était parfaitement consciente que Philippe, affalé tel un empereur sur le lit une place, la fixait avec des yeux brillants de convoitise.

Mara haussa les épaules et quitta la pièce. Sans doute pourrait-elle faire un petit détour en se rendant au bureau de Laurie – de façon, par exemple, à se retrouver juste devant la porte de la chambre de Ryan.

– Dis, Jacqui, tu as également besoin de voir Laurie ? demanda Philippe à Jacqui. Parce que sinon, il y a encore... comment t'appelles ça... de la piña colada dans le bol mixeur.

Jacqui cessa de ranger ses vêtements. Elle savait ce qu'elle devait faire : suivre Mara et l'aider à tout préparer pour la venue des gamins, le lendemain matin. Mais Philippe souriait toujours, l'éblouissant par la blancheur de ses dents et ses yeux d'un bleu éclatant. Il passa la main sous le lit, et en tira une bouteille de rhum à moitié pleine.

– Tu m'aides à la finir ? proposa-t-il.

– J'ai effectivement un peu soif..., concéda Jacqui.

Elle qui s'était juré de faire un effort cet été : de ne pas se laisser distraire, d'aider Mara à s'occuper des gamins, de réviser son... son quoi déjà... son examen d'entrée à la fac...

Jacqui respira un grand coup, redressa les épaules, et le regarda droit dans les yeux.

– Mais tu sais quoi ? Il vaut mieux qu'on remette ça à plus tard ! lança-t-elle à Philippe en quittant précipitamment la chambre, avant qu'il ait pu prononcer une nouvelle fois son nom avec son adorable accent français.

# Des retrouvailles...
## pas franchement réussies

Mara se réveilla tôt le lendemain matin et, entre deux bâillements, rejeta les draps. Jacqui dormait dans le lit du haut, tandis que Philippe ronflait bruyamment dans le lit une place, sous une montagne de couvertures. La veille au soir, Mara et Jacqui l'avaient retrouvé en train de fumer et de faire des réussites. Elles s'étaient jointes à lui et tous trois avaient disputé quelques manches de dame de pique, puis s'étaient couchés de bonne heure.

Mara avait passé la plus grande partie de la journée précédente à errer autour de la maison des Perry, dans le vain espoir d'apercevoir Ryan. Sachant qu'il avait coutume de se lever tôt pour aller faire du surf avant le petit déjeuner, elle avait réglé le réveil aux aurores, afin de le surprendre avant son départ pour la plage. Elle choisit sa tenue avec une attention particulière : un tee-shirt vert pâle prérétréci qui mettait sa taille de guêpe en valeur et un mini-short en jean à la Jessica Simpson qui dévoilait ses jambes. Elle rassembla ses longs cheveux bruns en une queue-de-cheval négligée, en prenant bien soin de ramener quelques boucles éparses autour de son visage.

Malheureusement pour elle, elle ne tomba pas sur Ryan

dans sa combinaison de surf, les yeux rivés sur les prévisions météo s'affichant sur l'écran plasma du téléviseur de la cuisine. Elle fixa l'Aston Martin garée dans l'allée, comme si elle pouvait forcer Ryan à apparaître. Elle retourna dans la maison, les épaules voûtées, se demandant s'il ne l'évitait pas. Dans la cuisine, elle se servit un bol de yaourt. Soudain, elle distingua des voix, provenant du patio. Le ventre noué, elle ouvrit la porte-fenêtre.

Ryan se tenait sur la terrasse et discutait avec une grande blonde. Il leva les yeux et, apercevant Mara, parut surpris. Il était vêtu d'un chandail à capuche et d'un jean délavé, et avait un sac de couchage coincé sous un bras et une glacière sous l'autre. Ses cheveux ébouriffés partaient comiquement dans tous les sens et il avait le visage zébré par les marques de l'oreiller – mais tout cela ne le rendait que plus adorable. Comme d'habitude, il était pieds nus, et ses orteils étaient couverts de sable.

– Hé ! dit-il et, l'espace d'une seconde, Mara retrouva son sourire franc et ses fossettes – auxquels, hélas, succéda aussitôt une grimace embarrassée. Mara... Je ne savais pas que tu étais là.

– Je suis arrivée hier, dit-elle en s'efforçant de garder un ton léger (*c'était qui, cette fille, bordel ?*). Je ne voulais pas vous déranger.

Ryan laissa tomber ses affaires et se dirigea vers elle, les bras tendus.

– Tu plaisantes. Ça fait plaisir de te voir ! répliqua-t-il en s'assurant de n'entrer en contact avec aucune partie de son corps, à l'exception de son dos, qu'il tapota comme si elle était un de ses potes de l'équipe de foot.

Elle huma l'odeur de mer de ses cheveux, qui lui rappela douloureusement l'été dernier.

– À moi aussi ça me fait plaisir, répondit-elle d'une voix étranglée.

Il était encore plus beau que dans son souvenir. Le soleil avait éclairci ses cheveux et son bronzage intense soulignait l'éclat de ses yeux verts. Il se déplaçait toujours avec la même grâce ; il émanait toujours de lui la même décontraction, la même simplicité... Le genre de gars à qui la vie avait tout donné, mais qui n'avait pas laissé cette heureuse circonstance le pourrir le moins du monde. Mara l'avait toujours trouvé trop bien pour elle. N'empêche que pendant une semaine entière, l'été précédent, il avait été à elle – totalement, délicieusement et miraculeusement. Et à présent, elle comptait bien le reprendre.

– Allison m'a raccompagné, expliqua Ryan, en présentant les deux filles l'une à l'autre. Tu te souviens de mon copain Oz ? Il a fait un feu de joie hier soir, poursuivit-il en enlaçant la taille de la blonde d'un mètre quatre-vingts, sosie de Charlize Theron.

Allison portait un simple débardeur blanc et un pantalon de pyjama fermant avec un cordon. Elle avait les cheveux en bataille mais, songea Mara, ce genre de fille n'avait aucun effort à faire pour paraître sexy. Sans doute ne passait-elle pas une demi-heure à choisir la bonne tenue et à sortir des boucles de sa queue-de-cheval.

– Et ce garçon n'était pas en état de conduire ! roucoula Allison en chatouillant le ventre de Ryan.

– Eh ! protesta Ryan en lui attrapant les mains.

Ils firent mine de se battre et Allison fronça les sourcils, pour rire, lorsque Ryan lui bloqua les mains derrière le dos.

Mara les regarda flirter, l'estomac noué. À peine un an plus tôt, Ryan et elle avaient passé presque toutes les nuits de la dernière semaine enlacés dans les bras l'un de l'autre, à se révéler des secrets qu'ils n'avaient jamais confiés à personne... Elle se rappelait la moindre cicatrice sur son corps (celle du genou qu'il s'était cassé en faisant du ski, et celle du mollet droit, due à une chute de skate) et la moindre anecdote au sujet de son éducation (les Noëls dans le Maine, son safari « initiatique » au Kenya, son vieux professeur de latin, avec qui il déjeunait encore souvent à New York). Et, surtout, la façon dont son nez se plissait lorsqu'il fermait les yeux et s'apprêtait à l'embrasser. Mara avait beau savoir que c'était elle qui avait rompu, ça lui faisait mal de le voir flirter avec une autre.

Elle fut soulagée de les voir interrompre leur petit numéro, mais eut une bouffée d'angoisse lorsque Ryan s'assit près d'elle à la table du patio. Allison marmonna quelque chose au sujet de la fraîcheur de l'air, et Mara suivit des yeux sa longue et souple silhouette tandis qu'elle se dirigeait vers une Jeep garée dans le sable. Ils étaient arrivés par les petites routes jusqu'à la plage privée longeant la propriété des Perry. Comme toutes ces routes étaient également privées, cela signifiait qu'Allison venait d'une famille possédant elle aussi une propriété à Georgica. Allison était exactement le genre de fille qu'on s'attendait à voir avec un type comme Ryan. Mara reposa son bol de yaourt. Tout ça lui avait coupé l'appétit.

Allison regagna le patio à grandes enjambées, ayant enfilé

un chandail d'homme portant le logo de l'université de Dartmouth. Mara se souvint que Ryan désirait aller à Dartmouth. Elle se demanda s'il était parvenu à y entrer. Allison se percha illico sur les genoux de Ryan.

– C'est quoi, ça ? minauda Allison en tâtant du bout des doigts une corbeille de fruits visiblement exotiques, au centre de la table.

– Voici un kaki, répondit Ryan en désignant ce qui ressemblait à une tomate orange aplatie. Et ça, c'est un ramboutan, expliqua-t-il en saisissant une boule rouge hérissée de piquants. Anna les fait venir d'Indonésie.

Le snobisme d'Anna la poussait, entre autres manies ridicules, à mépriser les produits locaux. Les Hamptons avaient beau être réputés pour leurs fraises, leurs pêches et leurs poires, les fruits rares, importés et hors de prix éclipsaient les fruits frais et disponibles.

– Ça se mange comment ? demanda Allison.

Ryan lui montra comment éplucher délicatement le fruit et libérer sa chair blanche et gélatineuse.

– Miam ! fit Allison en mastiquant.

Elle en pela un second, qu'elle mit dans la bouche de Ryan, qui la remercia d'un baiser. Ils s'amusaient, gloussaient... Mara avait envie de vomir. Elle fit glisser sa chaise en arrière, s'apprêtant à se relever.

– Alors, comment était le trajet en car ? Il y avait beaucoup de monde ? l'interrogea Ryan en daignant enfin la regarder.

Elle secoua la tête.

– En fait... je suis venue en avion. Anna s'est arrangée pour que je fasse le trajet avec les Reynolds, dans leur jet.

– C'est vrai ? C'était comment ? Il paraît qu'il est dans un sale état, dit Allison, les yeux écarquillés.

– C'est un nouveau G5, rétorqua Mara, en se rappelant ce que Garrett lui avait dit au sujet de l'avion. En fait, il est super, ajouta-t-elle, un peu sur la défensive.

– J'en doute pas, fit remarquer Ryan – et Mara crut déceler dans son ton une nuance d'ironie.

– Garrett est vraiment sympa. Il dit que vous vous connaissez, reprit Mara, décidée à tester Ryan.

– C'était un bon ami à moi, répliqua Ryan avec un visage impassible. Mais ce n'est plus le cas.

C'est alors qu'un sifflement perçant interrompit le silence matinal. Levant les yeux, ils virent l'objet de leur conversation, qui se tenait devant l'allée séparant les deux maisons, et tenait à la main une balle de tennis.

– Elle est passée par-dessus la clôture, expliqua Garrett.

Il portait une tenue de tennis d'un blanc immaculé. On aurait dit un mannequin Ralph Lauren.

– Salut, grommela Ryan.

– Salut Garrett, roucoula Allison. Il paraît que vous avez un nouveau jet ?

Garrett hocha la tête, un sourire aux lèvres. Il s'avança nonchalamment et, d'un doigt, désigna Mara.

– Salut beauté ! Alors, c'est bon pour demain soir ? J'espère que tu as changé d'avis. J'ai réservé la meilleure table à l'American Hotel.

La veille, Mara avait poliment décliné l'invitation. Mais après le numéro que Ryan et Allison venaient de lui faire, elle opta pour une autre tactique et adressa à Garrett un sourire ravageur.

– OK, pourquoi pas ? dit-elle.

– Super. Je passe te chercher à sept heures, répliqua Garrett, visiblement ravi. Ciao Ali. À plus, Perry, lança-t-il à Ryan, en faisant rebondir sa balle sur sa raquette de tennis et en refranchissant la haie.

Ryan se racla la gorge.

– Bien. Amuse-toi demain soir ! dit-il d'un ton brusque. Au fait, je crois que Laurie est dans son bureau, ajouta-t-il, s'adressant à Mara comme si elle n'était qu'une des innombrables employées au service des Perry.

Il se tourna à nouveau vers Allison, l'aida à se relever, et tous deux disparurent dans la maison.

Les espoirs de Mara – retrouver Ryan afin qu'ils reprennent leur histoire là où ils l'avaient laissée – étaient à l'eau alors que l'été commençait à peine. Mais, avant qu'elle ait eu le temps de s'apitoyer davantage sur son sort, le sol se mit à trembler. Levant les yeux, Mara vit un hélicoptère argenté atterrir sur la pelouse, et les hautes herbes se coucher sur le sol.

Une femme émaciée, vêtue d'une robe africaine ample et froncée, émergea prudemment par la portière en s'efforçant vainement de protéger son brushing contre le courant d'air et en hurlant sur les pilotes. Plusieurs enfants se répandirent hors de l'hélicoptère, réclamant à grands cris leur petit déjeuner.

Anna Perry et les enfants avaient fini par arriver.

# Les enfants Perry ont beaucoup de choses à apprendre... et beaucoup de médicaments à prendre

Anna Perry était assise devant la table de jeu de la salle de projection dernier cri des Perry, et tapotait des doigts le feutre vert. Près d'elle se trouvait Laurie, prête à tapoter sur le clavier de son ordinateur portable. Sur l'écran large de cinq mètres, au fond de la pièce, s'affichait une page d'accueil. OBJECTIFS À ATTEINDRE CET ÉTÉ PAR LES ENFANTS PERRY, pouvait-on lire en lettres capitales.

Mara prit place en face d'elles. Elle était pensive et nerveuse après sa rencontre matinale avec Ryan et sa nouvelle petite amie. À côté d'elle, deux chaises vides. Jacqui et Philippe étaient en retard. Un monsieur portant barbe et lunettes, vêtu d'un costume en tweed râpé, était assis avec un bloc-notes à la main à la gauche d'Anna. Mara se demandait qui il était.

Une gamine filiforme, qui devait avoir onze ans, entra dans la pièce. Mara l'avait vue un peu plus tôt sortir de l'hélicoptère. Elle ne l'avait pas reconnue, de loin. Or, à présent, elle voyait qu'il s'agissait de quelqu'un de très familier...

– Madison ! s'écria-t-elle. Bonjour ma chérie.

La nouvelle Madison concéda à Mara un bref signe de tête. L'été dernier, Mara avait tout fait pour soutenir Madison, prenant sa défense contre une méchante professeur de danse

70

classique ou lui remontant le moral lorsque William la taquinait. Mara tenta de l'embrasser, mais Madison évita ses bras tendus.

– Anna, tu trouves que ce chemisier me va bien ? demanda Madison, avant de murmurer quelque chose à l'oreille de sa belle-mère.

La petite fille aux cheveux bouclés qui aimait porter des tee-shirts et des shorts trop grands était devenue le sosie de Jamie Lynn, la sœur cadette de Britney Spears, avec ses cheveux défrisés, son jean évasé et un débardeur qui laissait voir son nombril.

Quelques minutes plus tard, Madison fit à Anna un bisou sur la joue – ou, plutôt, embrassa l'air – et sortit d'un pas léger, au moment où Jacqui, les cheveux mouillés, s'engouffrait dans la salle, talonnée par Philippe. Tous deux semblaient partager une bonne blague, et Mara remarqua le pincement de lèvres d'Anna lorsque celle-ci les vit entrer.

– *Philippe ! Vous êtes bien installé ?* demanda aimablement Anna dans un français parfait.

– *Oui, madame. C'est très beau ici*, répondit-il en la gratifiant de son sourire resplendissant.

Anna rougit de plaisir.

– Eh bien, Kevin et moi, nous sommes enchantés de vous avoir avec nous cet été, dit-elle d'un ton pontifiant. Jacqui, Mara, je vois que vous avez déjà fait la connaissance de Philippe. Philippe, Jacqui et Mara ont déjà travaillé pour nous, elles pourront donc vous mettre au courant des détails, si j'oubliais de mentionner quoi que ce soit. Je vais être très brève, car je dois assister à une réunion du comité dans quelques minutes, chez les Parrish.

Comme à son habitude, Anna ne cessait de faire allusion aux grands noms de la bonne société des Hamptons – ce qui n'évoquait jamais rien au groupe des baby-sitters.

– Tout d'abord, permettez-moi de vous présenter le Dr Pell Abraham, le nouveau thérapeute de William. Le Dr Abraham surveillera l'évolution de William pour ce qui est de l'hyperactivité. Jacqui, je pense qu'il est inutile que je revienne sur ce qui s'est passé à Palm Beach. Pas besoin de vous dire qu'il est hors de question que cela se reproduise. Mes cicatrices ont disparu, Dieu merci, grâce à un traitement au laser. Laurie, la lumière, je vous prie. Première diapositive. Je vous remercie, dit-elle tandis que la page d'accueil était remplacée par un écran affichant une photo de William en train de tirer la langue, à côté d'une liste inscrite au marqueur de ses « problèmes ».

À la demande d'Anna, Laurie avait constitué une présentation PowerPoint sur les enfants Perry, aussi rigoureuse et froide que la balance commerciale d'une entreprise.

– Comme vous le voyez, nous espérons pouvoir envoyer William à Eton l'année prochaine, si ses troubles mentaux ne les découragent pas de retenir sa candidature, dit Anna en soulignant les mots *Troubles déficitaires de l'attention / hyperactivité – nouvelles prescriptions* à l'aide d'un curseur lumineux. Le Dr Abraham tentera différents traitements, et étudiera les rapports de William avec sa famille et leur impact sur sa maladie. Ne vous étonnez donc pas de le voir assister aux activités ou poser des questions.

Mara blêmit. Anna ne se contentait pas de se débarrasser du gamin, elle l'envoyait carrément sur un autre continent. Eton, une école privée anglaise ultra-sélecte, comptait le futur roi d'Angleterre parmi ses élèves. Anna avait trouvé le moyen de concilier ses désirs d'ascension sociale et son envie de se débarrasser du plus problématique des enfants de son mari. Pire encore, un docteur des plus louches allait le suivre tout l'été en prenant des notes ! À coup sûr, l'effet sur le comportement de William risquait d'être spectaculaire...

Laurie pressa un bouton de la télécommande et le visage de Zoé apparut sur l'écran.

– Nous trouverions merveilleux que Zoé apprenne une langue étrangère cette année. Cela nous a tellement fait plaisir, à Kevin et moi, lorsqu'elle a entamé la lecture de ce livre en portugais, l'année dernière. Mais nous pensons qu'elle devrait se tourner vers une langue plus... comment dire... plus riche, du point de vue historique et culturel. Une langue qui lui demande un peu plus d'efforts. On a opté pour le russe. J'ai moi-même étudié Tchekhov à l'université, et je me suis dit que ce serait formidable qu'elle prenne un peu d'avance sur l'étude des classiques.

Donner des cours de russe à une gamine de sept ans ? Comment allaient-ils s'y prendre ? Mara avait à peine la moyenne en espagnol ! C'était du Anna tout craché, d'avoir choisi une langue qu'aucun des deux baby-sitters étrangers ne parlait.

– Quant à Cody, le Dr Abraham m'a alertée sur le fait qu'il commençait à manifester les signes d'une personnalité *border-line*. Il devra donc également faire l'objet d'une surveillance attentive.

Jacqui prenait une quantité de notes et Mara, voyant cela, avait du mal à ne pas éclater de rire. Quant à Philippe, les mains plaquées sur la nuque, il se balançait sur sa chaise et bâillait sans aucune discrétion.

Nouvelle diapo : un emploi du temps hebdomadaire.

– Nous avons décidé de les maintenir très occupés cet été. Leur occuper l'esprit et les mains, c'est le meilleur moyen de les empêcher de faire des bêtises... Le dimanche et le lundi, ils feront du surf à la plage de Montauk, le mardi, des cours de musique et de sensibilisation à l'art, de l'équitation le mercredi, le camp d'été de la Cabale le jeudi et, le vendredi, danse de salon et bonnes manières au Country Club. Le samedi, ils auront quartier libre, mais j'espère que vous saurez les inciter à trouver des activités productives – pratiquer la méditation, par exemple. C'est si important, d'avoir une vie spirituelle.

Anna fit signe à Laurie, et les lumières se rallumèrent.

– Pardonnez-moi, Anna... et Madison ? demanda Mara. Quels sont les objectifs qu'elle devra atteindre cet été ?

– Madison a onze ans. Trop âgée pour avoir encore besoin de baby-sitter, répondit Anna. Ne vous faites pas de souci pour elle. Nous sommes tellement fiers que son nouveau régime lui réussisse !

Le reste de la journée consista en un tourbillon frénétique. Mais lorsque les enfants furent enfin couchés et bordés, Mara et Jacqui retournèrent lessivées dans leur chambre. Philippe s'était esquivé aussitôt après un premier et catastrophique cours de tennis (William s'était servi de sa raquette comme d'une matraque, Zoé avait manié la sienne comme une batte de base-ball et Cody était à peine parvenu à soulever la sienne).

– Je suis vannée ! dit Jacqui en se hissant péniblement sur

le lit du haut. Je ne me souviens pas d'avoir autant bossé l'été dernier !

Mara ouvrit la bouche pour rétorquer quelque chose, mais lorsqu'elle vit l'expression de Jacqui, elle éclata de rire. Au moins, Jacqui était là pour lui filer un coup de main cette fois-ci. Quant à Philippe, qui sait où il était passé ?

Elles avaient à peine eu le temps de respirer quand le nouvel interphone se mit à sonner.

– Pavillon des « au-pair », répondit Mara, ainsi que l'avait exigé Anna.

– Sans blague ! s'esclaffa Eliza. Alors, les garces, vous venez ou quoi ? demanda-t-elle. Mes parents viennent juste de sortir pour la soirée, et j'ai trouvé une super-recette de mojito. Apportez des feuilles de menthe !

# Pour prendre un bain de minuit nue comme un ver, mieux vaut être ronde comme une barrique !

Lorsqu'elles arrivèrent à la maison d'Eliza, il était presque dix heures, car Jacqui avait insisté pour qu'elles essaient de trouver Philippe afin de l'inviter à les y accompagner.

– Ce serait grossier de l'abandonner ici, avait-elle dit à Mara.

Bien qu'elle se fût juré de ne plus se préoccuper des garçons, ça n'allait pas l'empêcher de se montrer amicale. Mais le Français ne reparut pas et Mara, qui en avait assez d'attendre, persuada Jacqui de lui laisser un petit mot indiquant comment se rendre à la maison des Thompson.

La seule voiture garée dans l'allée était l'Aston Martin de Ryan et, bien que les Perry leur eussent toujours assuré qu'elles pouvaient utiliser n'importe lequel des véhicules disponibles, elles décidèrent de se faire déposer à Southampton par l'un ou l'autre des employés de jour. Pour le trajet de retour, elles arriveraient bien à se débrouiller, quitte à appeler un taxi.

La maison louée par les Thompson était un cottage à la peinture écaillée, avec une charmante véranda s'étendant sur trois de ses côtés. Nichée au fond d'une allée sans issue, elle était ombragée par une futaie de chênes aux troncs courbés.

Plusieurs kayaks une place et leurs longues pagaies de bois étaient entassés sur la pelouse de devant.

Eliza les accueillit sur le seuil, tenant sur un plateau les mojitos frappés.

– Il était temps ! grommela-t-elle en leur tendant les grands verres embués. Je commençais à penser que j'allais devoir les descendre à moi toute seule !

Eliza leur fit rapidement visiter la maison.

– Je crois qu'elle n'a pas été rénovée depuis les années 1970, soupira-t-elle en secouant la tête, les yeux rivés sur le tapis orange. Et évidemment, on est du côté *cheap* de l'auto-route, ajouta-t-elle.

Mara jetait autour d'elle des regards émerveillés. Parfois, elle ne comprenait vraiment pas Eliza. Certes, on était bien loin du palace digne d'un musée du design qu'habitaient les Perry, mais la demeure n'en était pas moins aérée et confortable. Et, bien qu'elle parût petite vue du dehors, Mara n'y compta pas moins de six chambres à coucher – deux sous les combles, trois au rez-de-chaussée et une dans le sous-sol aménagé, équipé d'un jeu de fléchettes et d'un baby-foot. Eliza ne réalisait pas la chance qu'elle avait.

Elles se dirigèrent vers le patio, à l'arrière de la maison. Là, Eliza leur montra la piscine « minable » et le jacuzzi « archi-craignos ». Puis toutes trois s'assirent au bord de la piscine, leurs jambes trempant dans l'eau.

Mara prit une grande gorgée de cocktail, en s'efforçant de ne pas en renverser sur sa jupe. Le sucre de canne et la menthe mélangés au rhum avaient un goût délicieux, relevé par une pointe de sel.

– C'est un régal, dit Mara.

– Mmm..., approuva Jacqui.

Ah, ce que c'était bon d'être débarrassées de ces gamins ! Elle piqua une cigarette dans le paquet d'Eliza, qui s'en alluma une avant d'en proposer également à Mara. Celle-ci commença par secouer la tête puis, changeant d'avis, en prit une elle aussi. Elles tirèrent avec plaisir sur leurs cigarettes, entre deux gorgées de mojito.

Eliza voulut savoir comment s'était passée leur journée et écouta Mara avec attention lorsque cette dernière raconta à quel point elle avait été déçue de trouver Ryan si vite lié à quelqu'un d'autre.

– Je connais Allison Evans, dit Eliza d'un ton prudent, en s'efforçant de parler d'un ton calme. Je ne savais pas qu'ils sortaient ensemble. Tu en es sûre ? Ryan a des tas de copines... je veux dire d'amies filles, bafouilla-t-elle, en songeant qu'elle aussi était censée faire partie de ces « amies filles » de Ryan. Tu devrais peut-être lui poser carrément la question.

Mara haussa les épaules.

– À quoi bon ? Il s'est comporté comme si je n'étais rien pour lui.

Elle acheva de vider son verre, sentant que le rhum commençait à faire son effet.

– J'aurais dû m'en douter.

Pour la réconforter, Jacqui passa un bras sur l'épaule de Mara et l'étreignit.

– C'est pas si grave, *chica*. Tout le monde fait des erreurs, dit Jacqui en posant sur Eliza un regard éloquent.

Si Eliza comptait jamais avouer l'épisode de Palm Beach, c'était le moment rêvé.

Mais Eliza détourna la tête.

– Dis-toi bien une chose, Mara. Au moins, toi, tu ne mourras pas vierge ! déclara-t-elle sur un ton piteux, avant d'écraser sa cigarette sur le bord carrelé de la piscine.

– Jeremy et toi n'avez jamais..., commença Mara.

– L'amour à longue distance, ça ne nous a pas vraiment réussi, soupira Eliza. Il est censé faire un saut à la boîte demain. Mais je sais pas si... Moi aussi j'ai peur qu'il sorte avec quelqu'un d'autre, se lamenta-t-elle.

Jeremy avait fini par la rappeler la veille. Et avait prétendu être très impatient de la voir, bien qu'au téléphone, Eliza l'eût trouvé bref et un peu absent.

– Avec mon manque de veine, je n'arriverai sans doute jamais à le faire. Il y a toujours un truc qui se passe ! Je meurs d'envie de me débarrasser de ma virginité ! geignit Eliza, consciente du ridicule de ses paroles.

– Ci-gît Eliza Marie Thompson, annonça Jacqui sur un ton funèbre. La Dernière Vierge d'Amérique. Elle a essayé de s'en débarrasser, mais personne n'en a voulu. Qu'elle repose en paix.

Jacqui et Mara s'esclaffèrent. Eliza fit mine d'être vexée, avant de céder, elle aussi, à son envie d'éclater de rire.

– Venez ! dit-elle en les aidant à se relever lorsqu'elles eurent fini de glousser, ragaillardie par l'idée qui venait de lui traverser la tête.

Elle saisit la bouteille de rhum. À quoi bon agiter les pieds dans ce minable petit bassin quand l'océan était tout près ?


Elles coupèrent à travers les jardins des maisons voisines, se glissant sous les cordes à linge et enjambant les voitures d'enfants afin d'atteindre plus vite le rivage. Là, elles contemplèrent le roulement des vagues et leur crête blanche d'écume à l'horizon. L'air embaumait l'iode et le sel. Eliza trempa un pied dans l'eau.

– Elle est bonne ! s'exclama-t-elle avec ravissement.

C'était l'Atlantique – l'eau n'y était jamais bonne ! Pour se baigner sur les côtes de Long Island, surtout à la nuit tombée, il fallait aimer les bains glacés. Éméchée, Eliza décida que c'était un signe.

– On pique une tête ! lança-t-elle d'un ton euphorique.

– Ohé, je te rappelle qu'on n'a pas nos maillots ! protesta Mara, en faisant quelques pas, là où l'eau était peu profonde.

En effet, elle était relativement bonne – mais tout de même...

– Et alors ? rétorqua Eliza avec un haussement d'épaules.

Déjà, elle retirait son cardigan. Tout ce rhum lui avait donné chaud. Piquer une tête dans l'océan lui paraissait la meilleure façon de se rafraîchir.

Jacqui, son verre à la main, prit le temps de considérer les choses. Quelle délicieuse sensation que la mer caressant ses pieds nus ! Elle termina son cocktail et, suivant l'exemple d'Eliza, laissa glisser sa robe de coton. De toute façon, elle ne portait généralement pas de sous-vêtements. Puis elle courut vers les vagues en riant.

Eliza se débarrassa de son tee-shirt et de son pantacourt, et ôta rapidement son soutien-gorge et sa culotte. Elle poussa des petits cris en rejoignant Jacqui dans l'eau.

Les deux jeunes filles barbotèrent gaiement.

– Allez, Mara ! Tu ne nages nue qu'avec les garçons, ou quoi ? la taquina Eliza, lui rappelant que, l'été précédent, Mara et Ryan avaient été surpris alors qu'ils se baignaient sans maillot dans la piscine des Perry, par le petit ami de Mara, qui plus est.

Eliza avait gagné. Mara déboutonna son chemisier et enleva son jean. Elle s'extirpa de son caraco et, ayant soigneusement plié ses sous-vêtements, les plaça sur ses vêtements.

– Banzaï ! s'esclaffa-t-elle en faisant la roue jusqu'à la mer.

Elles nagèrent paresseusement pendant un petit moment, éprouvant une délicieuse sensation de décadence. Ah, les plaisirs de l'été ! Elles firent la planche et contemplèrent les étoiles et s'amusèrent à se plonger la tête sous l'eau. Au bout de quelques minutes, les effets de l'alcool s'atténuèrent et elles réalisèrent la même chose, quasiment en même temps : *l'eau était glacée !*

– Je... J'ai froid, balbutia Eliza en frissonnant.

Elle regagna le rivage au pas de course, si pressée de se rhabiller qu'elle enfila son chemisier à l'envers. Mara et Jacqui suivirent. Elles riaient de leur bêtise : ne pas avoir pensé à apporter des serviettes ! Elles contemplèrent les vagues quelques secondes encore et s'apprêtaient à repartir lorsque Eliza eut une nouvelle idée.

– Quelqu'un a un stylo ? s'écria-t-elle en brandissant la bouteille de rhum vide.

– Moi j'en ai un, répondit Mara.

Elle plongea la main dans sa poche, et le tendit à Eliza.

– Qu'est-ce que tu fais ? demanda Jacqui, en regardant Eliza décoller soigneusement l'étiquette de la bouteille.

Eliza souriait, tandis qu'elle griffonnait quelques lignes. Puis, après avoir montré aux deux autres son message, elle le plia en trois et le glissa dans la bouteille, dont elle revissa le bouchon avec force.

– Vous n'avez jamais fait ça quand vous étiez gamines ? (Jacqui et Mara secouèrent la tête.) C'est marrant. On ne sait jamais qui va tomber dessus. Qui a le plus de force dans les bras ? Mara ?

Mara haussa les épaules et prit la bouteille. Elle la jeta et les trois filles la virent décrire un grand arc de cercle, monter et descendre à la surface de l'eau, puis disparaître dans les vagues. Sur le trajet du retour, elles traînaient des pieds mais étaient d'humeur joyeuse.

– Alors, les filles, vous venez à la boîte demain soir, hein ? Je vous mettrai sur la liste, assura Eliza, alors que Jacqui ouvrait son téléphone portable pour appeler un taxi.

– D'accord, répliqua Jacqui non sans hésitation – elle redoutait déjà les conséquences de leur escapade de ce soir. Ça dépendra de l'heure à laquelle on arrive à coucher les gamins, j'imagine...

– Ouais, je suis pas sûre de pouvoir, dit Mara. J'ai ce dîner, plus tôt dans la soirée.

Eliza pressa affectueusement les épaules de Mara.

– Allez, ce sera super. C'est le premier week-end de l'été. Promettez-moi de venir !

– Ryan sera là ? demanda Mara, en redoutant d'avoir à revivre la scène du matin.

– Qu'est-ce que ça change ? rétorqua Eliza. Enfin, je voulais dire...

Apparut soudain l'éclat de phares – une Aston Martin décapotable venait de s'engager dans l'allée.

Bonjour ! s'exclama Philippe.

Visiblement, il n'avait pas le moindre scrupule à utiliser la voiture de Ryan.

– J'arrive trop tard ? demanda Philippe, souriant en coin lorsqu'il vit à quel point les filles étaient débraillées, avec leurs vêtements humides qui leur collaient au corps.

– Non, non, tu arrives au bon moment, répondit sèchement Jacqui, pour nous ramener à la maison.

# Anna Perry est beaucoup plus jeune que ses injections de Botox ne le laissent supposer

Le lendemain soir, après être parvenue à la force du poignet à coucher les gamins, Jacqui entra dans la salle de jeux, une pièce avec moquette mais sans fenêtres, coincée entre les chambres des filles et celles des garçons. Là, elle commença à ranger les jouets, les skate-boards, les Lego, les pistolets en plastique, les poupées Barbie et toutes sortes de peluches parlantes dans un coffre en plastique. Les chambres des gamins se trouvaient dans une aile isolée et à peine accessible de la maison, derrière une porte insonorisée. Jacqui remarqua que les enfants n'auraient pas pu être plus loin des appartements d'Anna – à moins d'être parqués dans le cottage des domestiques. En revanche, une petite pièce à deux niveaux équipée d'un bar était située juste à côté de la chambre des maîtres de maison.

Jacqui s'acquitta seule de sa tâche – Mara se pomponnait pour son rendez-vous avec Garrett, et Philippe avait de nouveau filé Dieu sait où. Mais, lorsqu'elle retourna au cottage, elle le trouva assis, ou plutôt vautré, sur les marches du perron.

Quel sale flemmard ! Il n'était jamais dans les parages

quand elles avaient besoin de lui. Jacqui mit les mains sur les hanches, prête à lui dire le fond de sa pensée.

Voyant son expression, Philippe lui tendit le joint qu'il s'était roulé.

– C'est pas vraiment mon rayon, expliqua-t-il en désignant la maison. Tiens, prends une bouffée !

C'était pas une super-idée, de se défoncer chez les Perry. Surtout quand elle espérait obtenir d'eux, à la fin de l'été, une sublime lettre de recommandation. Cela dit, elle était un peu tendue... et puis, elle n'était pas du genre à refuser un petit joint. Elle le prit et aspira la fumée âcre, qui lui brûla la gorge.

– Je ne sais pas comment tu fais ! dit Philippe. *Ma tante* m'avait averti que ce serait pas facile, mais je ne croyais pas que ce serait dur à ce point-là. Je voulais juste être au bord de la mer.

Jacqui éclata de rire. Elle n'arrivait pas à lui en vouloir pour de bon. Il lui faisait penser à elle, un an plus tôt. Ils restèrent assis là, dans un silence amical, à écouter chanter les grillons et à regarder danser les lucioles autour des buissons entourant la piscine. Le portable de Philippe sonna à deux reprises, mais il ne répondit pas.

– Qui a tellement envie de te joindre ? demanda Jacqui lorsqu'il ignora la sonnerie pour la troisième fois.

– Oh, des copains, se contenta-t-il de répondre sur un ton nonchalant.

Quelques minutes plus tard, Mara sortit du cottage, vêtue d'une des tenues griffées de Jacqui – en l'occurrence, une robe en mousseline de soie lavande très décolletée et décorée, sur le col et la taille, d'un joli motif en perles de cristal. Il découvrait tellement le dos que Mara craignait de paraître indécente. Mais Jacqui avait insisté : rien, dans les vêtements qu'avait apportés Mara, n'était assez chic pour un dîner à l'American Hotel.

Philippe siffla.

– Je sais pas si je l'ai bien mise, dit Mara à Jacqui. Ça va comme ça ?

Jacqui passa le joint à Philippe, et se leva pour s'en assurer. Elle tira un peu sur la robe au niveau de la taille, pour que le décolleté soit plus plongeant.

– Voilà. *Perfeito.* J'ai une paire de Jimmy Choo dans mon sac. Les tiennes sont mignonnes, mais pas assez hautes, décréta Jacqui en désignant les sandales de Mara.

– C'est quoi, ce que vous fumez ? demanda Mara en humant l'air, soupçonneuse.

– Rien.

– *Rien du tout.*

Mara savait qu'ils mentaient. Mais elle était trop soucieuse d'être présentable et trop reconnaissante envers Jacqui de lui avoir prêté sa robe pour les critiquer. Par ailleurs, elle en avait par-dessus la tête de toujours jouer les filles sages. Jacqui et Philippe étaient assez grands pour savoir qu'ils risquaient d'être renvoyés si on les surprenait en train de fumer de l'herbe.

– Dites à Eliza que je suis désolée de ne pas avoir pu venir, d'accord ? leur demanda Mara, en enfilant les sandales de Jacqui.

Puis elle se dirigea vers la demeure des Perry afin d'attendre Garrett dans le hall.

Quelques instants plus tard, des talons claquèrent sur

l'allée bétonnée. Jacqui crut que c'était Mara qui revenait – sans doute avait-elle oublié quelque chose. Or c'est Anna Perry qui émergea des ténèbres, vêtue d'un peignoir de soie très serré à la taille et chaussée de mules en brocart.

– Il m'a semblé sentir une odeur, dit-elle.

Jacqui manqua de s'étouffer en ravalant la bouffée qu'elle venait de tirer, et tenta de disperser la fumée.

– Vous voilà ! lança Anna à Philippe avec un sourire chaleureux. Je vous ai cherché partout, minauda-t-elle, pendant que Jacqui s'empressait de cacher dans son dos le corps du délit.

– Qu'est-ce que vous traficotiez, tous les deux ? demanda Anna.

Elle s'assit près de Philippe, sur les marches du bas.

– Jacqui, il y a quelque chose qui ne va pas ?

Jacqui secoua la tête, balança le joint en douce, et l'écrasa sous son talon.

– Rien... On était juste... non, tout va bien...

Jacqui s'efforça de sourire et s'écarta d'eux.

– Je suis désolée. Je meurs de fatigue. Il faut que j'aille me coucher. Euh... bonne nuit !

Elle tourna la poignée de la porte du cottage et claqua le battant derrière elle. Son cœur battait à tout rompre. Sa patronne venait de les surprendre en train de fumer de l'herbe ! Comment, désormais, espérer qu'Anna lui permette d'obtenir un job à New York ? Jacqui se demandait ce qui se passait, dehors, en ce moment même. Anna parlait toujours avec Philippe... Collant son oreille à la porte, elle parvint à saisir des bribes de leur conversation.

– Vous n'avez rien sur vous ? entendit-elle Anna demander.

Philippe marmonna une protestation.

– Ne faites pas l'idiot ! Je ne suis pas née de la dernière pluie, vous savez, rétorqua Anna.

Jacqui perçut un bruissement et, à nouveau, la voix d'Anna.

– Nom de Dieu, ce que j'en avais envie ! Kevin peut être tellement ennuyeux... Autrefois, on se marrait vraiment tous les deux, mais maintenant il n'en a plus que pour le boulot.

Philippe émit une sorte de ricanement.

Jacqui n'en croyait pas ses oreilles. Anna Perry ! Fumant un joint avec l'un des baby-sitters ! Anna se mit à glousser à cause de quelque chose que Philippe avait dit. Jacqui se sentit soudain laissée pour compte, même si c'est elle qui avait choisi de partir.

– Vous me donnez quel âge ? demanda Anna à Philippe.

*Oh non, c'est vieux comme le monde !* songea Jacqui.

– Vingt-cinq ans, répondit galamment Philippe.

– Un peu plus... J'ai trente-deux ans. On ne peut pas dire que je sois vieille, n'est-ce pas ? (Jacqui étouffa un rire. Pour elle, trente-deux ans, c'était presque le troisième âge.) J'ai parfois du mal à imaginer qu'à trente-deux ans, je suis déjà mère de sept enfants. Sept ! Une vraie poule pondeuse...

Jacqui manqua de s'étouffer. Anna n'avait mis au monde qu'un seul enfant, Cody. Elle était la belle-mère du reste de la nichée. Jacqui ne distingua pas la réponse de Philippe. Puis Anna parla de la vie et du temps perdu, et Jacqui réalisa que la malheureuse femme se sentait seule. Ça devait craindre un max de ne pas avoir de vrais amis avec qui discuter, et de devoir recourir à la compagnie d'un employé. Mais pourquoi fallait-il justement que ce soit Philippe ?

Après ce qui lui parut une éternité, Jacqui entendit Anna se relever et le claquement de ses talons faiblir, comme elle s'éloignait du cottage. Jacqui poussa la porte d'une main hésitante. À présent qu'Anna était partie, Philippe et elle pourraient enfin se rendre au Septième Cercle. Or, lorsqu'elle ressortit, le Français s'était volatilisé. Elle ne trouva qu'un mégot de joint et des feuilles de papier à rouler déchirées sur le sol.

Jacqui était découragée. Elle pouvait toujours aller au Septième Cercle mais bizarrement, l'idée ne lui paraissait pas aussi drôle ou excitante que lorsqu'elle s'imaginait que Philippe allait l'y accompagner. D'ailleurs, maintenant qu'elle y pensait... c'est vrai qu'elle était vannée. Après une journée passée à courir après trois gosses, ça n'avait rien d'étonnant. Elle remonta les escaliers d'un pas traînant, en songeant que son livre de préparation de l'examen d'entrée à la fac pourrait toujours lui tenir compagnie. Cependant, elle avait beau savoir qu'elle se comportait de la meilleure façon possible, cela ne la consolait guère.

# Rien de tel qu'une voiture de luxe pour remonter le moral d'une fille

À sa grande stupéfaction, Mara trouva toute une équipe de tournage dans le hall, occupée à installer des projecteurs et des écrans de contrôle. L'un des gars, portant casque et micro, faillit renverser l'étagère contenant la collection d'animaux miniatures en porcelaine d'Anna. Sugar Perry, vêtue d'un top à capuche en velours rose prérétréci qui exposait son nombril et d'un mini-short assorti, parlait avec animation tandis qu'on la filmait. Le réalisateur, un jeune mec en pantalon de velours côtelé délavé, s'agenouilla pour vérifier l'image de Sugar dans son moniteur lorsqu'il remarqua Mara, qui traînait près de la porte d'entrée.

– C'est qui, ta copine ? demanda-t-il, en indiquant au caméraman de faire un plan de Mara.

– Oh, c'est personne ! répliqua Sugar d'une voix très lasse. Elle travaille ici, c'est tout.

Mais le réalisateur, ignorant la remarque de Sugar, fixait toujours Mara.

– Salut, je m'appelle Randy Braverman et je travaille pour la chaîne de divertissement E !, dit-il en lui serrant la main. Laurie vous a parlé de notre émission ?

C'est alors que Mara se souvint. Sugar était la vedette d'un programme de télé-réalité qui se tournait cet été, censé montrer comment vivait la jeunesse dorée des Hamptons. Tel était l'objectif de l'émission : surprendre les riches oisifs dans leur vie quotidienne – en d'autres termes, suivre Sugar partout. Laurie les avait prévenus que, dans la mesure où ils étaient employés par les Perry, leur participation risquait d'être exigée. C'est pourquoi ils avaient tous dû signer une décharge au début de la semaine.

– C'est la voiture de Garrett... Qu'est-ce qu'elle fait là ? s'interrogea Sugar en jetant un coup d'œil vers la baie vitrée – une superbe limousine venait de se garer dans l'allée.

– Il vient me chercher, expliqua Mara, se dirigeant vers la porte en espérant pouvoir sortir de là le plus vite possible.

– Tu sors quand même pas avec Garrett Reynolds ? demanda Sugar sans parvenir à dissimuler sa surprise.

– Qui sort avec Garrett Reynolds ? cria Poppy Perry en dévalant les escaliers.

Poppy était vexée qu'on ne l'ait pas retenue pour l'émission. Au début de l'année, leur agent avait envoyé un communiqué aux journaux, lequel indiquait que les jumelles ne souhaitaient plus être appelées « les sœurs Perry » mais, à partir de maintenant, « Sugar Perry » et « Poppy Perry » – puisqu'elles tenaient une fois de plus à préciser qu'elles étaient deux personnes bien différentes, chacune menant sa carrière à elle. Du coup, Poppy perdait au change – elle n'était visiblement pas aussi célèbre que sa sœur, plus grande, plus sexy et plus scandaleuse.

– Moi, répondit calmement Mara.

Les sœurs Perry prononçaient le nom de Garrett comme s'il

s'agissait du prince William ou de Leonardo di Caprio, à croire que c'était un demi-dieu.

Poppy écarquilla les yeux.

– Pas possible !

– Bizarre qu'il ne nous ait rien dit hier soir, fit remarquer Sugar, en regardant Mara comme si celle-ci avait fait quelque chose de mal.

– Alors, ça fait quoi, de sortir avec l'un des garçons les plus riches des Hamptons ? demanda Randy Braverman à Mara, tandis que le micro et les caméras étaient soudain braqués sur elle.

– On ne sort pas ensemble. Enfin... c'est notre tout premier... je sais pas... Il est très sympathique..., bredouilla Mara. Je suis désolée, faut vraiment que j'y aille, ajouta-t-elle en naviguant entre les uns et les autres afin de gagner la porte d'entrée.

Garrett émergea de l'arrière du véhicule, et tendit à Mara une rose blanche à longue tige. Il avait ramené en arrière ses cheveux sombres et soyeux, et était superbe dans son costume de lin blanc cassé.

– Le carrosse est prêt, madame, dit Garrett. Eh, c'est quoi toute cette pagaille ? demanda-t-il en désignant la foule assemblée dans le hall.

Tous les yeux étaient rivés sur eux, et la caméra les suivait toujours, tandis que Sugar commençait à trépigner d'impatience.

Mara prit la rose et se glissa dans la voiture.

– Sugar est filmée par la chaîne de divertissement E !, tu sais, l'émission sur les jeunes gens de bonne famille.

– Ah oui ! ricana Garrett. *Riches et crétins dans les Hamptons* !

Mara tiqua. Elle croyait que Sugar et Poppy étaient amies avec Garrett – du moins, c'était ce qu'elles venaient tout juste d'insinuer. Or, voilà qu'il se moquait d'elles – peut-être était-il plus malin qu'il ne voulait bien le laisser paraître.

– Champagne ? demanda-t-il en sortant une bouteille d'une glacière savamment dissimulée dans l'accoudoir de la banquette.

La limousine était tout ce qu'il y a de plus luxueuse, avec ses deux écrans de télé plasma, ses casques sans fil, et ses sièges massants.

– Ils se baissent complètement, fit remarquer Garrett avec un sourire coquin. Mais pour ça, on va peut-être attendre un peu, non ?

Mara fit celle qui n'avait rien entendu. Elle commençait à se demander si elle n'avait pas fait une bêtise en acceptant l'invitation de Garrett quand elle ne voulait qu'une chose : trouver moyen de faire admettre à Ryan que leur histoire devait reprendre à zéro. Elle ne voulait pas mener Garrett en bateau, surtout avec tout le mal qu'il se donnait...

– Tu es absolument superbe, dit Garrett, lui prenant la main et la pressant dans la sienne.

Il la regarda avec admiration et la complimenta au sujet de sa robe, de ses cheveux, de son sourire, de son parfum, de ses jambes et de ses chaussures. C'était agréable de se sentir appréciée – d'autant plus qu'à Sturbridge, elle se faisait l'effet d'être banale et qu'hier, devant Allison et Ryan, elle avait presque eu l'impression d'être invisible.

Le restaurant était d'une élégance classique, avec ses chandeliers en argent massif et ses serveurs en smoking. Mara ne se sentait pas vraiment à sa place dans une telle atmosphère. Un maître d'hôtel guindé les conduisit à leur table.

– Je parie qu'il porte des sous-vêtements de femme, glissa Garrett à l'oreille de Mara.

Celle-ci étouffa un rire et cessa d'être mal à l'aise, bien qu'ils fussent, et de beaucoup, les plus jeunes clients du lieu.

Garrett commanda pour elle, ce qui aurait contrarié Mara si les plats choisis n'avaient été absolument exquis. Elle n'avait encore jamais mangé de « médaillons de foie gras », ni de « langoustine légèrement pochée, à l'écume de caviar ». elle n'avait jamais, et de loin, dégusté des plats aussi bons et surprenants. Entre le poisson et la viande, le serveur apporta un verre à cocktail rempli de sorbet au concombre.

– C'est un sorbet digestif, expliqua Garrett.

Mara le but d'un trait, se délectant de sa saveur légèrement acide.

Elle s'amusait, c'était indéniable. Certes, Garrett était un peu égocentrique – Mara en avait un peu assez d'entendre son opinion sur tout et n'importe quoi, du système électoral à la recherche sur les cellules souches, en passant par le nouveau film de Wes Anderson et par sa super-idée de scénario (un remake de *Casablanca* situé dans l'espace !). Mais il était tellement passionné qu'elle lui pardonnait. Si l'on oubliait ses réflexions déplacées, il était à mourir de rire. Son enthousiasme candide et son impertinence étaient contagieux et, en dépit de ses premières impressions, Mara se surprit à apprécier sa compagnie.

– Je n'avalerai pas une bouchée de plus ! décréta-t-elle, repoussant son sublime dessert et tapotant son ventre. C'était à tomber par terre !

Garrett versa du sauternes dans le verre à dessert de Mara.

– À la tienne ! dit-il tandis qu'ils finissaient la bouteille.

Garrett avait fourré un billet de cent dollars dans la main du sommelier afin qu'il n'exige pas de voir leurs papiers – ils n'avaient pas l'âge légal pour consommer de l'alcool.

Décidément, Mara était un peu pompette. Elle se releva en vacillant et Garrett lui offrit son bras. Prévenant, il ne la lâcha pas jusqu'à la voiture.

– Où est-ce que je vous emmène ? demanda le chauffeur en portant la main à sa casquette.

Mara haussa les épaules et adressa à Garrett un sourire espiègle. C'est vrai qu'il était sexy ! Pas étonnant que Sugar et Poppy soient jalouses. Charlie, le petit ami de Sugar, était séduisant, mais cela était dû – à en croire Eliza – à un remode-lage facial de grande envergure. Quant à Poppy, elle venait de se faire larguer pour la énième fois par son copain Leo – qui louchait un peu.

– Au Septième Cercle ? suggéra Garrett.

Mara hocha la tête. Elle passait une si bonne soirée. Ç'aurait été grossier d'y mettre si vite un terme, d'autant que Garrett se comportait en gentleman.

– J'ai une amie qui y travaille, dit-elle en souriant, tandis que la voiture s'enfonçait dans la nuit.

# Les célébrités sont comme des gamins de deux ans : elles font des caprices et piquent des crises

Eliza avait suivi les instructions d'Alan et Kartik à la lettre : elle portait une minijupe à sequins argentée Sass & Bide coupée en haut des cuisses – Jessica Simpson possédait l'unique modèle identique – et des escarpins en cuir métallisé, aux talons hauts de dix centimètres.

La boîte baignait dans la lumière des stroboscopes, et le meuble à bouteilles géant occupant le mur du fond dans toute sa hauteur était une merveilleuse invention. Les barmaids étaient harnachées de cordes de varappe permettant d'atteindre l'une ou l'autre des étagères. Lorsqu'un client commandait quelque chose, les filles escaladaient le meuble, telles des acrobates, et s'emparaient de la bouteille requise. C'était une diversion amusante, une trouvaille sympa. Les clients s'amusaient à repérer les alcools les plus inaccessibles pour pouvoir regarder sous les jupes des jolies barmaids. Eliza n'en revenait pas : un chantier transformé en boîte de nuit ultra-branchée quasiment du jour au lendemain ! Ces gars connaissaient la chanson, aucun doute là-dessus.

Mais elle n'aurait jamais imaginé que ce serait autant de boulot de travailler dans une boîte de nuit. Elle n'avait guère eu le temps de discuter avec Mara, ou de lui demander ce qu'elle faisait avec Garrett Reynolds, tant il y avait d'agitation à l'entrée. Eliza les avait installés à la meilleure table – logique, puisque Mara était l'une de ses meilleures amies et Garrett quelqu'un d'important, ne serait-ce qu'à cause du nom qu'il portait. Ah, si seulement elle pouvait poser, elle aussi, ses fesses sur une chaise ! À force de satisfaire et d'amuser les célébrités, de repousser les nazes, de servir des ragots à la presse et d'esquiver les barmaids volantes, Eliza était épuisée. Elle avait les nerfs en pelote, et si un énième garde du corps venait lui demander de faire jeter un photographe dehors, elle se mettrait sans doute à hurler !

Elle avait déjà un sérieux motif d'angoisse : Ondine Sylvester, star de sitcom qui avait eu pour compagnon le mari actuel de la chanteuse pop Chauncey Raven, allait arriver d'un instant à l'autre. Une sacrée tuile, vu que Chauncey et son légitime Daryl Wolf, ancien choriste et chanteur raté, étaient assis au beau milieu de la salle VIP ! Le représentant de Chauncey exigeait qu'on ne laisse pas entrer Ondine, afin, disait-il, d'éviter de contrarier sa cliente. Ondine, qui avait eu deux enfants de Daryl, était enceinte d'un troisième lorsque Chauncey était entrée en scène. Eliza expliqua au très pompeux agent qu'elle ne pouvait interdire l'accès de la boîte à Ondine, mais qu'elle promettait de la placer à une table située à l'autre extrémité de la salle. Il importait de satisfaire Chauncey, car elle était la plus importante star présente, mais il était hors de question – Eliza en était bien consciente – de déplaire à Ondine, puisqu'il leur fallait un maximum de célébrités dans la boîte.

– Eliza... il y a quelqu'un qui te demande là-dehors... Il dit qu'il te connaît, crachota une voix dans le casque d'Eliza.

– OK. J'arrive, répliqua-t-elle en redressant le casque en question.

*Flûte*, songea Eliza. Sûrement un vieux pote du lycée qui voulait qu'elle le fasse entrer... Elle avait déjà donné son feu vert à Lindsay et Taylor, juste pour leur montrer qu'elle ne leur en voulait plus au sujet de l'été dernier. Et puis, c'était un tel plaisir, de tenir temporairement leur destin entre ses mains !

Elle se dirigea vers l'entrée principale. Aperçut Jeremy et son mètre quatre-vingt-dix, légèrement débraillé avec son costume gris à rayures un peu froissé et sa cravate dénouée. Elle avait oublié à quel point il était beau. Ses cheveux châtains, ramenés en arrière, frisottaient au-dessous des oreilles. Il lui avait dit qu'il passerait à la boîte ce soir-là, mais elle n'y avait cru qu'à moitié. Il lui paraissait si beau... On aurait dit un homme d'affaires, dans ce costume, et à la vue de sa cravate rouge, elle se sentait encore plus amoureuse.

– Je leur ai assuré que tu m'avais donné rendez-vous ici, mais ils n'ont pas voulu me laisser entrer, dit-il avec un visage radieux.

– C'est bon, Rudolph, lança Eliza au videur baraqué, en souriant à Jeremy.

– Il y a des tas de gens qui prétendent connaître Eliza ce soir, ajouta Rudolph sur un ton menaçant, tout en ouvrant le cordon de velours rouge.

– Rudolph... je prends cinq minutes de pause. Si jamais Ondine arrive, tu me bipes !

Eliza conduisit Jeremy dans le jardin à l'arrière du bâtiment, où les clients fatigués des rythmes technos et de la pose continuelle allaient griller une cigarette.

– Le costume, c'est en quel honneur ? demanda Eliza, taquine.

Elle ne voulait pas paraître trop émue, même si elle était en réalité folle de joie.

– Je suis en stage chez Morgan-Stanley, répondit-il. La banque en ligne.

– Waouh ! C'est génial ! s'exclama-t-elle, impressionnée.

Il y a encore à peine un an, Eliza les détestait, ces jeunes loups de la finance, qui se mettaient à plusieurs pour louer des maisons dans les Hamptons – et se croyaient tout permis. Or, maintenant qu'elle contemplait Jeremy dans son beau costume, la banque en ligne lui semblait la chose la plus sexy du monde.

– Ouais, c'est chouette. Ils se gênent pas pour m'exploiter, cela dit. Je bosse toutes les nuits jusqu'à trois ou quatre heures du matin. Je ne pensais pas pouvoir m'échapper ce week-end, mais par chance, on ne fait plus de RFP, précisa-t-il en utilisant le jargon de la finance.

Eliza souriait, admirative. Ce n'était plus le Jeremy qui, l'été précédent, travaillait comme jardinier dans la propriété des Perry. Un an plus tôt, Jeremy ne s'intéressait qu'aux roses et aux bonzaïs.

– Tu habites où ? demanda-t-elle.

– Le week-end, chez mes parents. Et la semaine, vu que je travaille en ville, dans un appartement que la société loue pour nous.

– Alors ? dit Eliza, en lui prenant la main.

– Alors ? répéta Jeremy en caressant les ongles vernis et manucurés d'Eliza.

Ils se regardèrent. Être si près l'un de l'autre les rendait soudain timides. Eliza s'était rapprochée de lui sans s'en rendre compte, jusqu'à sentir sur sa joue le souffle de Jeremy. Et ils s'étreignirent. Elle n'avait rien vécu de tel auparavant. Jeremy et elle étaient faits l'un pour l'autre. Certes, ça avait été une épreuve d'être séparés pendant un an. Elle s'était efforcée de ne pas lui demander, dans les innombrables e-mails qu'elle lui envoyait, s'il sortait avec quelqu'un. Jeremy, quant à lui, n'avait jamais fait allusion à une autre fille. Et à présent... c'est comme s'ils venaient de se rencontrer. Impossible de ne pas se toucher, c'était plus fort qu'eux.

Avant qu'Eliza eût réalisé ce qui se passait, Jeremy l'embrassait, un baiser aussi magique que dans son souvenir.

– Ce que ça a été long ! murmura-t-il. J'ai pas arrêté de penser à toi.

– Moi aussi, dit-elle, adorant sentir sa tête bien calée sous le menton de Jeremy. Mes parents sont à Westhampton pour tout l'été. On a une maison, précisa-t-elle non sans fierté. Ça te dirait, de dîner avec nous la semaine prochaine ?

Autrefois, Eliza n'aurait jamais proposé à Jeremy de rencontrer ses parents, de crainte qu'ils ne détectent immédiatement ses origines modestes et ne s'opposent à sa relation avec leur fille. Mais maintenant qu'elle le voyait dans son beau costume, parler de son stage, il lui paraissait impossible que ses parents ne l'apprécient pas.

– Si je peux m'échapper du boulot. On a une grosse présentation la semaine prochaine. Mais je vais essayer.

Un crachotement se fit entendre dans le casque d'Eliza :

– Eliza, Ondine vient d'entrer dans la salle VIP ! Il n'y a plus une seule table de libre ! Et elle ne va pas tarder à tomber sur Chauncey et Daryl !

– Faut que j'y aille, dit-elle, en se dégageant à contrecœur de l'étreinte de Jeremy.

– OK. De toute façon, je suis mort. J'ai eu une semaine épuisante.

– Je t'appelle, lança-t-elle en disparaissant dans la boîte.

– C'est moi qui t'appellerai le premier ! répliqua-t-il en souriant.

Eliza ordonna qu'on emporte une table dégotée dans l'arrière-cuisine et qu'on l'installe à l'autre bout de la salle VIP, afin que les tourtereaux puissent savourer en paix leurs cocktails offerts par la maison.

# Jacqui prend une vague, mais laisse le garçon lui filer entre les doigts

– Laisse-la dormir ! conseilla Philippe à Jacqui, tandis que celle-ci s'efforçait en vain de faire sortir Mara de son lit.

Il fallait qu'ils soient à Montauk à neuf heures, pour la première leçon de surf des gamins. Ils n'y seraient jamais s'ils devaient attendre le réveil de Miss Gueule-de-bois.

Jacqui secoua Mara une dernière fois et n'obtint, en retour, qu'un vague grognement.

– Mmmfff..., fit Mara en roulant sur le côté et en enfouissant son visage sous l'oreiller.

Mara avait déboulé dans le cottage peu avant l'aube. Elle s'était laissé tomber sur le premier lit venu et, s'écrasant sur Philippe, avait été saisie d'un fou rire. Jacqui et Philippe l'avaient ensuite aidée à regagner la couchette du bas, Jacqui prenant bien soin de recouvrir son amie d'une couverture avant de lui retirer sa robe, tandis que Philippe défaisait la bride de ses sandales. Ils l'avaient bordée comme un des enfants Perry. Le lendemain matin, ils la regardaient comme des parents amusés...

– C'est une fêtarde, non ? demanda Philippe quelques minutes plus tard.

Jacqui et lui rassemblaient les gamins et la totalité de leur équipement aquatique, qu'ils entassèrent à l'arrière de la Range Rover.

– D'habitude, pas vraiment, dit Jacqui, prenant la défense de son amie, tout en attachant Cody dans son siège-auto et en arrachant la poupée de Zoé des mains de William afin de la rendre à la petite fille en pleurs.

Jacqui en voulait un peu à Philippe. Elle était écœurée d'avoir loupé la soirée d'ouverture de la boîte où travaillait Eliza. Elle ne savait toujours pas où ce garçon avait bien pu passer la soirée. Ça ne la regardait pas, mais elle était vexée qu'il eût accordé plus d'attention à Anna qu'à elle. Certes, Jacqui s'était fixé des règles et n'avait pas l'intention de les enfreindre – n'empêche, elle n'avait pas l'habitude d'être reléguée au second plan.

Philippe sortit le 4 × 4 de l'allée en marche arrière. Ils s'engageaient sur la route privée quand le Dr Abraham, surgissant de la maison au pas de course en peignoir rouge et pantoufles, leur fit de grands signes pour qu'ils s'arrêtent. Les gamins râlèrent lorsque le docteur se hissa dans le véhicule.

– Ah, le bon docteur ! s'exclama joyeusement Philippe. Vous avez besoin de surveiller les activités physiques des gamins, c'est ça ? demanda-t-il en désignant discrètement un grand cabas rempli de livres et d'écran total. De voir comment ils se comportent à la plage.

– Oui oui, c'est cela, répondit le docteur.

Lorsqu'ils arrivèrent à Montauk, les deux moniteurs de surf, Bree – une fille trapue et coiffée de dreadlocks, au sourire tout en dents – et Roy – un Haïtien décontracté qui n'arrêtait pas de leur faire signe de tenir bon –, leur montrèrent où se changer. Anna avait acheté aux gamins des combinaisons de surf assorties et tout ce qui se faisait en matière d'équipement dernier cri – y compris des GPS raccordés aux sangles qui reliaient leur planche en fibre de verre à leur cheville. Bree tendit à Philippe et à Jacqui des combinaisons, en expliquant à cette dernière que son joli petit bikini ne résisterait pas longtemps à l'assaut des vagues, et qu'il fallait donc qu'elle enfile le vêtement de protection. Si la première partie de sa déclaration suscita des regards émoustillés chez tous les hommes présents, sa conclusion ne manqua pas de les décevoir.

Quand tous se furent changés, ils montèrent sur les planches et, ramant avec les bras, s'éloignèrent de la plage. Les vagues les moins importantes commençaient près du rivage et ils n'eurent pas à aller trop loin. Bree et Roy entourèrent les deux plus jeunes, et demandèrent à William de les suivre.

– Aïe ! s'écria William quand, une vague se brisant devant lui, il reçut le surf dans la figure.

– Tiens-le comme ceci ! dit Philippe en maintenant la planche qu'il avait empruntée.

Une grosse vague les souleva de plus d'un mètre. Cody, qui portait des brassards par-dessus sa combinaison, poussa des cris de terreur.

– Les planches sur le côté, face à la plage ! ordonna Roy, les mains en porte-voix. Surveillez les vagues et repérez la bonne, comme ça... Et alors, hissez-vous sur la planche. Pagayez avec les bras et laissez-vous entraîner par la vague.

– Facile à dire ! fit remarquer Jacqui lorsque, tentant de se hisser sur la planche, elle ne parvint qu'à retomber de l'autre côté. *Merda !*

– Regardez-moi ! Regardez-moi ! cria Zoé.

Elle se mit hors de portée de Bree, et pagaya avec frénésie tandis qu'une vague la ramenait sur la plage.

– Joli ! *Mahalo !* dit Roy en les encourageant d'un nouveau geste du pouce.

– Cowabunga ! hurla William en piquant vers le fond, alors qu'une vague le renversait en arrière. Tout va bien ! Tout va bien ! dit-il en recrachant de l'eau de mer lorsqu'il refit surface.

À l'approche d'une vague, Philippe se mit à plat ventre, rama énergiquement avec les bras, se dressa sur la planche et surfa jusqu'au sable.

Il retourna dans l'eau au pas de course.

– J'ai pas fait ça depuis des années ! s'esclaffa-t-il.

Son visage rayonnait, et ses yeux brillaient.

– Waouh ! *Surpreendente !* s'exclama Jacqui. Je me doutais pas que tu savais surfer.

– Un peu, c'est tout. C'est pas sorcier ! dit-il, lui montrant comment faire. Vas-y... prends celle-ci ! Hisse-toi... oui, c'est ça. *Bien !* Formidable ! Encore, encore, encore, l'encouragea-t-il alors qu'elle abordait gracieusement sur la plage.

Pendant quelques instants, ils regardèrent les gamins osciller au gré des vagues. Puis, assurés que Roy et Bree veillaient bien sur eux, ils retournèrent sur la plage, où le Dr Abraham ronflait sous un parasol.

– Visiblement, il s'est fait payer ses vacances, constata Jacqui d'un ton sec.

Philippe hocha la tête.

– Heureusement qu'on est là pour travailler dur ! répliqua-t-il, taquin, en étalant leurs serviettes de bain. S'il y a un truc que je déteste, c'est quand il y a du sable partout, ajouta-t-il tout en s'affairant.

Jacqui hocha la tête, défit la fermeture éclair de la combinaison et la retira avec précaution. Elle sentait Philippe la fixer des yeux, bien qu'elle ne le regardât pas.

– Tu es très belle, déclara-t-il sur le même ton qu'il aurait pu dire « Il fait chaud » ou « La terre est ronde » – comme si c'était une simple évidence, et non une raison pour se mettre dans tous ses états.

– Merci, dit-elle en soutenant son regard.

– On doit te le répéter en permanence, je suis sûr. Ça doit être affreusement... *ennuyeux*. Pénible, quoi !

– Effectivement, répondit Jacqui avec sérieux.

– Dans ce cas, je devrais peut-être te dire que tu es très laide, fit-il pour la taquiner.

Jacqui lui lança un tuba. Il ne se contentait pas d'être mignon. Il avait l'esprit vif, et elle appréciait ça. Elle replia ses jambes contre sa poitrine et ouvrit, à contrecœur, son livre de préparation aux examens d'entrée en fac. Son premier cours devait avoir lieu demain et, bien qu'elle eût volontiers passé la journée à flirter avec Philippe, elle ne pouvait se permettre de se laisser distraire.

Le portable de Philippe sonna pour la énième fois. Jacqui se demandait comment quelqu'un qui n'avait jamais mis les pieds dans les Hamptons auparavant avait pu se faire autant d'amis en aussi peu de temps.

– Allô ? dit-il en ouvrant son portable.

Il s'exprima dans un français rapide puis, glissant son sac à dos sur son épaule, s'excusa de devoir partir.

– Tu vas où ? cria Jacqui.

Philippe leva un doigt, comme pour dire « Attends une seconde ! », mais continua à s'éloigner en direction du chemin de planches. Jacqui remarqua que plusieurs filles le reluquaient, derrière les verres surdimensionnés de leurs lunettes de soleil Chanel ou Gucci, et que quelques mecs le mataient eux aussi, sous leurs parasols à rayures. Philippe adressait à chacun, homme ou femme, le même sourire séducteur. Jacqui soupira et baissa la tête vers son livre. Elle ne comprendrait jamais rien aux Français.

# C'est pour ça qu'on appelle la page 6 page 666

Plus tard ce matin-là, Mara se réveilla enfin, seule dans le cottage des domestiques. Il était presque onze heures et demie. Elle ne trouva ni Philippe ni Jacqui, et s'étonna d'avoir pu dormir si tard sans qu'aucun des deux n'ait songé à la réveiller. Mara conservait un souvenir embrumé de la soirée de la veille. Elle se rappelait avoir dansé avec frénésie lorsque avait retenti le vieux tube rock *Livin' on a Prayer*, avoir croisé Eliza et échangé des histoires de shopping avec, assise à la table voisine, Chauncey Raven – la pop star très entourée qui venait de conclure à Las Vegas un second mariage express. Elle avait également passé une bonne partie de la soirée perchée sur les genoux de Garrett, car une bande d'amis à lui s'était pointée, et ils avaient tous dû se serrer sur la banquette. Mais elle avait esquivé son baiser lorsqu'il l'avait raccompagnée à quatre heures du matin.

Mara se traîna jusqu'à la maison des Perry, laquelle résonnait du vacarme des marteaux piqueurs du château des Reynolds. Elle secoua la tête – elle n'avait vraiment pas besoin de ça, vu son état – et entra dans la cuisine, où des boiseries françaises anciennes recouvraient la totalité des équipements, congélateur compris. Elle réalisa que le château des

Reynolds ne devait guère différer des autres demeures des Hamptons, si ce n'est par la taille et le côté tape-à-l'œil. Elle ne trouva personne dans la cuisine, à l'exception de Madison. Celle-ci pesait un blanc de poulet bouilli sur une balance de cuisine. Mara regarda la fillette le couper soigneusement en deux avant de le reposer sur le plateau de la balance, puis de le disposer sur une assiette avec plusieurs jeunes carottes crues.

– Qu'est-ce que tu fais ?

Madison la fusilla des yeux.

– Rien.

Mara s'installa sur un tabouret, à côté d'elle, et se mit à préparer son petit déjeuner. Elle coupa une banane en rondelles et versa du lait demi-écrémé sur son bol de céréales.

– Tu sais, Madison, j'ai été une enfant joufflue. Mais à quatorze ans, mon métabolisme s'est réveillé quand j'ai commencé à beaucoup jouer au foot et là, j'ai fondu.

– Je déteste le foot ! rétorqua Madison, se levant et claquant la porte derrière elle.

Mara soupira. Elle ramassa un exemplaire du *New York Post* ouvert à la page 6. « LE RICHE HÉRITIER A-T-IL TROUVÉ CHAUSSURE À SON PIED ? » pouvait-on lire en gros caractères, sous un cliché de Mara assise sur les genoux de Garrett, pris la veille au soir. Elle s'appuyait sur le bras de Garrett et paraissait rire à ses propos. Garrett fixait l'objectif avec un sourire arrogant, brandissant d'une main une bouteille de champagne ouverte et serrant fermement de l'autre la taille de Mara. À l'exception de quelques allusions sarcastiques à la monstruosité de trente mille mètres carrés que les Reynolds étaient en train d'ériger à East Hampton, l'article était quasiment identique à celui paru sur Ryan et elle l'été précédent, décrivant comment le jeune couple avait été surpris « se faisant des câlins » dans la boîte la plus branchée du moment. Comment cela, des câlins ? Elle était assise sur ses genoux, rien de plus. D'accord, il lui avait peut-être un peu fourré son nez dans le cou...

L'angoisse la prit au ventre. Elle se demanda si c'était Ryan qui avait laissé traîner le journal sur la table. Elle renifla une tasse à moitié vide à côté du journal. Du thé vert... Dans le foyer Perry, seul Ryan en buvait.

Sugar entra alors, maigre comme un coucou, et en nage après sa séance de yoga. Le caméraman et le preneur de son de la veille marchaient sur ses talons.

– Oh, salut ! s'exclama Sugar. C'est la page 6 ? s'enquit-elle, s'approchant pour lire par-dessus l'épaule de Mara.

Sugar leva les yeux et regarda Mara d'un air songeur.

– Eh, vous voulez pas faire la fête avec Charlie et moi, un de ces soirs ?

*L'une des sœurs Perry se montrait aimable à son égard ?* Mara n'en croyait pas ses oreilles. L'an dernier, Sugar n'avait même pas été capable de retenir son prénom, et n'avait cessé de l'appeler « Marta », « Maria », voire « Mary ».

– On donne une soirée sur son yacht, le week-end prochain. Il y aura juste les très bons amis. Amène Gar. Ça va être super !

– Ouais, peut-être, marmonna Mara, pendant que Sugar souriait et haussait les épaules à l'attention de la caméra, rejetant ses cheveux en arrière et bombant la poitrine.

– Venez les gars ! cria-t-elle aux deux gars de l'équipe. On se retrouve à la douche extérieure.

Mara avait les yeux rivés sur la page 6. Elle se demandait si Ryan voudrait jamais lui reparler après avoir vu une photo pareille. C'était le problème, avec les photos – elles valaient un millier de paroles. Or, parfois, ce n'étaient pas les bonnes.

# Rien ne soulage mieux
## les peines de cœur
## qu'une voiture pleine
## de cadeaux !

À la fin de la semaine suivante, Mara se dirigea vers la salle de projection pour le premier bilan hebdomadaire. Jacqui et Philippe étaient censés la rejoindre sitôt après avoir déposé les garçons dans une sorte de camp d'entraînement pour enfants. Ils commençaient visiblement à bien s'entendre et aimaient accomplir le maximum de tâches ensemble.

À la réunion, Mara avait l'intention de se plaindre du Dr Abraham. Il l'avait sermonnée après qu'elle eut embrassé Cody, qui venait de se cogner méchamment un doigt de pied, allant jusqu'à lui asséner :

– Couronner une expérience douloureuse par une sanction positive ne risque pas d'aider la personnalité à s'affirmer.

Avant de lui demander, quelques minutes plus tard, si elle ne connaissait pas le moyen de lui faire obtenir une table VIP au Septième Cercle. Ce type était louche.

Après avoir passé quelques minutes assise dans la pénombre, Mara réalisa qu'il était inutile d'attendre Kevin ou Anna plus longtemps. Rien de nouveau sous le soleil. L'année précédente, Anna avait également insisté pour que ces réunions aient lieu, alors que ni elle ni Kevin n'y assistaient jamais. Mara haussa les épaules et sortit de la pièce. Madison et Zoé attendaient qu'elle les conduise au yoga.

Sortant par la grande porte, elles virent un grand camion de livraison garé dans l'allée des Perry. Plusieurs employés en uniforme en déchargeaient des portants chargés de vêtements et des dizaines de sacs de shopping noirs d'où dépassait du papier de soie rose. Une femme exagérément bronzée, maigre comme un portemanteau, et vêtue d'un débardeur blanc sur lequel on pouvait lire C'EST AVEC MOI QUE TON PETIT AMI VEUT SORTIR et d'un jean taille basse, dirigeait les opérations.

– Qu'est-ce qui se passe ? demanda Mara à Laurie, laquelle portait sur la scène un regard caustique.

– J'en suis pas sûre, mais je crois que c'est pour vous, répondit Laurie.

– Salut ! Mara Waters ? Je suis Mitzi Goober, lança la femme en débardeur.

Elle prononça la dernière syllabe à la française, si bien qu'on entendait « Goubert ». Elle tendit vers Mara un bras musclé mais décharné.

– Waouh ! Je ne vous aurais jamais reconnue ! Vous êtes tellement plus jolie que sur les photos !

– Merci… je crois que…, bafouilla Mara en baissant la tête.

Elle s'était figuré que les choses allaient se tasser, après la publication du cliché d'elle et Garrett dans le *Post*. Or, au cours de la semaine suivante, il était apparu dans les magazines *Hamptons*, *Hamptons Life*, *Hamptons Living*, *Hamptons Country* et *Hamptons Luxury*. Ryan ne lui avait jamais laissé une chance de s'expliquer ; chaque fois qu'ils se croisaient – ce matin même, ils s'étaient trouvés nez à nez à la piscine –, il

113

faisait mine de l'ignorer. Le voir si distant lui fendait le cœur. Et l'insistance avec laquelle Garrett tentait d'obtenir un second rendez-vous lui remontait un peu le moral. Il lui avait déjà envoyé une telle quantité de fleurs que le cottage des baby-sitters ressemblait à un funérarium.

Un cliché de Mara seule et vêtue de la robe Zac Posen bleu lavande finit par atterrir dans les pages « société » de *Vogue*, sous l'intitulé « Ces dames en lilas », entre une photo de Jennifer Connelly vêtue d'une robe Chloé bleu lavande ornée d'un nœud à la taille et une autre d'Aerin Lauder dans un fourreau pourpre Valentino. Mara n'était arrivée que deux semaines plus tôt, or elle suscitait déjà des regards ouvertement jaloux, ou tout simplement curieux, partout où elle allait. Elle se faisait l'effet d'une bête curieuse et d'une usurpatrice : elle était là, dans les pages d'un magazine de mode, à poser dans la robe de Jacqui... quand, en réalité, elle passait ses journées à traîner les gamins chez le dentiste, à torcher les fesses de Cody ou à tenter de convaincre Madison de manger autre chose que du bouillon de poulet et du fromage allégé.

– De toute façon, comme je viens de l'expliquer à votre assistante...

– Je suis l'assistante d'Anna ! l'interrompit Laurie.

– Bien sûr. Peu importe..., dit Mitzi en faisant signe aux livreurs de sortir du camion les sacs restants.

– Mara est fille au pair ! reprit Laurie d'une voix indignée.

– Fille au pair ! Comme c'est charmant ! Formidable ! s'exclama Mitzi. Écoute, Mara, j'ai ce nouveau styliste en vogue qui rêve de t'habiller – en fait, il y en a plusieurs – et tout ça ce sont des cadeaux que tu porteras quand tu sortiras...

114

– C'est pour moi ? demanda Mara en regardant les gars poser un sac après l'autre sur la pelouse, à côté de l'allée.

– Oui oui oui ! Débrouille-toi juste pour citer la marque chaque fois que les gens voudront savoir ce que tu portes. Shoshanna a envoyé toute sa collection été. Elle a adoré les photos de toi dans sa robe l'année dernière, et elle pense que quelques-uns des modèles pourraient te plaire. C'est bon, si on laisse tout ici ?

– C'est vraiment gentil, Mitzi mais… euh… je ne sais pas si…

– Une seconde ! Une seconde ! J'ai failli oublier le meilleur ! dit Mitzi, en extirpant de son énorme sac Hermès modèle Birkin un écrin recouvert de velours noir. C'est un cadeau. Ouvre !

Mara ouvrit l'écrin. À l'intérieur, un rang de perles éclatantes était disposé sur un fond molletonné.

– Il vient de chez Mikimoto. Ce n'est que la version « perles de culture », désolée. Mais si tu peux songer à les mentionner…, glissa Mitzi avec un sourire.

– Je ne sais pas si je peux accepter, protesta Mara d'une voix nerveuse.

– De quoi tu parles ? Je t'en prie ! Tu les mérites ! Tu es tellement ravissante ! Ah, mon Dieu, si seulement mes cheveux voulaient bien tomber comme les tiens ! dit Mitzi, qui tira sur ses cheveux en grimaçant.

Mara n'avait jamais rencontré personne qui possédât une telle énergie, un tel enthousiasme. Mitzi Goober, c'était tout cela à la fois : votre meilleure copine, une pom-pom girl, et un gourou. Elle lui donnait la migraine.

Lorsque les livreurs entreprirent de décharger un second portant à roulettes, Mara tenta de les convaincre de le remettre dans le camion, pendant que Madison et Zoé contemplaient le butin, les yeux écarquillés.

– Mitzi ! Attendez ! Sérieusement, je peux pas accepter !

– Ne dis pas de bêtises ! Tu sais à quel point il est difficile de dénicher des gens qui entrent dans les modèles de défilé ? Allez, je t'en prie ! Ce serait un sacré coup de pouce pour mes stylistes. Ce sont tes fans les plus assidus.

Ses *fans* ? Elle travaillait comme fille au pair, avait posé pour quelques clichés... et avait déjà son fan-club ?

Mitzi agita un porte-clés sous le nez de Mara.

– Laquelle tu conduis ? La Range Rover, là-bas ? Tu la trouves pas un peu mastoc ?

– C'est celle des Perry, à vrai dire.

– J'adorerais que tu essaies de conduire cette nouvelle BMW décapotable, dit Mitzi, lui fourrant les clés dans la main et désignant une voiture noire et brillante garée dans l'allée.

– Une voiture ? demanda Mara, avant de rester bouche bée.

– À ta disposition pendant tout l'été. Tous les jours, quelqu'un viendra remettre de l'essence et déposer des cadeaux pour toi. Que du bonheur ! Tu n'auras à te soucier de rien.

Mara fixa les clés de la BMW. C'était hallucinant. Et follement excitant. Elle pourrait vraiment *garder* tout ce barda ?

Zoé et Madison avaient commencé à farfouiller parmi les vêtements suspendus aux portants.

– Oh, regarde-moi ça ! s'exclama Madison en brandissant un dos nu en jersey noir Gucci.

– C'est zoli ! approuva Zoé en s'enroulant dans une étole en dentelle.

– Une minute ! Mitzi ! s'écria Mara.

Elle s'efforça de rattraper la publiciste, qui s'était engouffrée dans une Citroën vintage et manœuvrait pour quitter l'allée.

– Je voudrais juste... je ne suis pas sûre que ce soit une bonne chose, dit Mara en se penchant à la vitre.

Mitzi plaqua la main sur la bouche de Mara, lui barbouillant le menton de rouge à lèvres.

– Enfin, mon chou ! Ne nous embête pas ! Pense juste à faire allusion à mes clients quand tu parleras aux journalistes. Marché conclu ? Passe un bon été ! J'espère bien te voir à ma soirée, la semaine prochaine, au Septième Cercle. Ciao !

Mitzi quitta l'allée au moment où la Toyota s'y engageait.

– C'était qui ? demanda Jacqui, sortant de la voiture avec Philippe et les garçons.

Mara jeta un coup d'œil alentour sur tout ce que Mitzi avait laissé : deux portants chargés de vêtements de marque, plusieurs sacs de chaussures et d'accessoires, un écrin contenant un collier de perles et une BMW décapotable noire flambant neuve.

– Euh... je sais pas trop, dit Mara, n'en revenant pas de sa chance. Ma bonne fée ?

# Devine qui vient dîner ce soir ?

Deux semaines après leurs retrouvailles au Septième Cercle, Eliza, ouvrant la porte, vit Jeremy sur le seuil, un bouquet de fleurs à la main. Ils ne s'étaient revus qu'une seule fois entre-temps. Les effroyables horaires de travail de Jeremy le retenaient en ville le plus clair de son temps, et il leur avait fallu reporter le dîner à deux reprises. Ses parents la harcelaient littéralement pour qu'elle leur présente son « ami de cœur ». En cela, ils étaient de la vieille école. Eliza espérait que le dîner se passerait bien, ou du moins, qu'il passerait vite, de façon à ce que Jeremy et elle puissent enfin sortir et se retrouver seuls.

– C'est pour ta maman, dit-il en lui tendant la gerbe de lys blancs, dont le délicat parfum se répandit dans la pièce.

– C'est super-gentil. Entre ! dit Eliza.

Elle avait ramassé ses cheveux en un chignon très sage et noué autour de son cou un ruban de satin noir orné d'un pendentif ancien. Elle savait que Jeremy aimait qu'elle soit jolie et enfantine, et avait choisi ses vêtements avec soin – une robe à volants Chloé en coton blanc et des ballerines roses. Elle était contente qu'il eût l'air si sérieux, dans son costume en lin ocre et sa chemise bleu ciel. Il avait légèrement desserré sa classique cravate à rayures, et offrait la parfaite image du jeune banquier ambitieux.

Eliza conduisit Jeremy dans le salon.

– Papa, voici Jeremy. Jeremy, je te présente mon père, Ryder Thompson.

Un homme grand et costaud au front couronné de cheveux d'un blanc argenté se leva pour serrer la main de Jeremy.

Ryder avait lui aussi travaillé à Wall Street, avant qu'on ne se rende compte qu'il piochait un peu trop souvent dans les coffres-forts de la banque. Eliza ne comprenait toujours pas pourquoi on en avait fait un drame : c'était sa compagnie, après tout. Est-ce que ça n'aurait pas dû être pris en compte ? Certes, elle se rappelait qu'ils avaient coutume d'utiliser l'avion de la société pour se faire des petits week-ends à Paris... et alors ? Quant à la soirée à deux cent mille dollars donnée pour les seize ans d'Eliza, c'était, à en croire les journaux, la société qui avait payé la note. Mais comme des tas d'associés de son père étaient présents, c'était presque une réunion d'affaires. Quoi qu'il en soit, cela n'avait pas empêché l'enquête, les poursuites et l'humiliation qui s'ensuivirent. Les Thompson avaient enduré tout cela du mieux possible, gardant la tête haute et fichant le camp à Buffalo lorsque Manhattan devint infréquentable et au-dessus de leurs moyens.

Ses parents avaient été clairs sur ce point : le garçon avec qui elle sortirait devrait être issu du même milieu qu'elle, et avoir reçu une éducation similaire, en dépit de ce qui s'était passé au cours des deux dernières années. Eliza espérait que Jeremy réussirait son examen d'entrée. Il arrivait que ses parents se montrent un peu durs. Pour la première fois, Eliza regretta la liberté dont elle avait joui l'année précédente, lorsqu'elle était seule et ne devait aucune explication à personne, hormis aux Perry, lesquels étaient le plus souvent absents ou indifférents.

– Un doigt de gin ? demanda Ryder à Jeremy, en brandissant un shaker en argent.

– Merci monsieur Thompson, répondit Jeremy. Je prendrai la même chose qu'Eliza.

Fronçant les sourcils, le père d'Eliza servit à Jeremy un verre de vin blanc. Mais il se garda de tout commentaire. Puis tous quatre s'enfoncèrent dans le canapé recouvert de lin.

– Je vous prie de nous excuser... la maison... nous sommes habitués à mieux, dit Billie, la mère d'Eliza, portant nerveusement les mains à son cou et jetant un regard de dégoût à la collection de poupées de porcelaine disposées dans une vitrine. Mais comme Eliza tenait tellement à passer l'été dans les Hamptons, nous avons pensé que...

– C'est très joli ici, assura Jeremy. J'aime bien ces vieilles bâtisses. On s'y sent en sécurité, vous ne trouvez pas ?

La mère d'Eliza lui sourit chaleureusement.

– Moi aussi, j'apprécie les constructions anciennes.

– Jeremy a grandi dans les Hamptons, fit remarquer Eliza, en essayant malgré elle de leur donner l'impression qu'il faisait partie de leur monde.

Non qu'elle se souciât de ce que pensaient ses parents. Elle ne pensait pas comme eux, de toute manière, enfin, pas vraiment. Si ç'avait été le cas, elle aurait couru après Garrett Reynolds, et non après Jeremy Stone. Mais ça faciliterait tellement les choses, s'ils pouvaient l'apprécier.

Le visage de Billie s'illumina.

– Oh, et où ça ?

– À Southampton, répondit Jeremy.

Les Thompson accueillirent sa réponse avec un murmure d'approbation.

– Vous connaissez les Ross ? Courtney a fondé cette adorable école. On a failli s'installer ici nous aussi, pour y inscrire Eliza.

– Je connais les Ross, admit Jeremy.

Il se garda de préciser qu'il était leur jardinier, au grand soulagement d'Eliza.

– Où ça à Southampton ? demanda le père d'Eliza.

Jeremy le lui dit.

– Ah, ça ne serait pas dans le *township* ? devina Ryder, faisant allusion à ce quartier de Southampton infiniment plus modeste, composé de petits pavillons d'habitation.

Jeremy hocha la tête.

– Comme c'est pittoresque ! dit Billie, avec un sourire forcé.

– Que fait votre père ? insista Ryder.

– Le père de Jeremy dirige sa propre affaire, s'empressa de répondre Eliza, voyant le tour que prenaient les choses.

– Quel genre d'affaire ? demanda son père.

– Il tient une poissonnerie, sur la route 27, répondit Jeremy avant qu'Eliza eût pu songer à un autre euphémisme, du genre « Il travaille dans le transport maritime ».

– Celle avec le grand néon en forme de saumon sur la porte ? demanda Billie.

– C'est ça ! confirma Jeremy en se tapant la cuisse.

– Je crois que Colombia y a acheté des huîtres délicieuses

121

l'autre jour, mon chéri, dit Billie à son mari, en hochant la tête. Un vrai régal. Si fraîches.

Jeremy était aux anges, mais Eliza voyait l'orage poindre. Ça ne se passait pas bien du tout. Eliza savait que ses parents étaient des snobs de chez snob. Il leur suffisait de quelques instants pour situer quelqu'un dans l'échelle sociale, et Jeremy ne leur paraissait déjà plus digne de leur attention.

– Vous êtes inscrit dans quelle université, mon cher ? demanda Billie, poursuivant l'interrogatoire tandis qu'ils s'asseyaient à table pour dîner.

– Je vais à l'université de l'État, dit Jeremy, avant de s'essuyer la bouche avec une serviette de table en lin. La SUNY.

Ryder Thompson se tourna vers sa femme :

– Ce ne serait pas le prénom de la femme de Woody Allen ? plaisanta-t-il.

Eliza intervint. C'était trop douloureux.

– Il veut parler de l'université d'État de New York, papa. À Nassau. Ce n'est pas très loin d'ici.

– New York a une université publique très réputée, concéda généreusement Billie.

Eliza se tortillait sur sa chaise. Jeremy était le premier membre de sa famille à aller à l'université, et il était réellement fier de cela. *Ne me déteste pas !*, le suppliait-elle du regard, attendant qu'il lève les yeux vers elle et voie à quel point elle était de son côté. Or Jeremy garda la tête baissée pendant le reste de la soirée.

Le café pris, les Thompson se retirèrent après avoir souhaité bonne nuit à Jeremy d'un ton poli et rappelé à Eliza l'heure du couvre-feu.

– Tu veux qu'on aille faire un tour en voiture ? Ou on pourrait peut-être se balader sur la plage ? suggéra Eliza en quittant la table.

Elle voulait lui demander d'excuser ses parents, mais s'accrochait encore à l'espoir qu'il n'avait pas remarqué à quel point ils étaient snobs.

Jeremy secoua la tête.

– Non. J'ai une réunion tôt demain matin. Il faut que je rentre.

Le visage d'Eliza se décomposa. Ils n'allaient même pas traîner un peu ensemble ? C'était le seul soir où elle ne travaillait pas à la boîte, et elle avait attendu ce moment toute la semaine.

Jeremy balança la veste de son costume sur son épaule et se dirigea vers la porte. Eliza la lui ouvrit, et le suivit sur le porche.

– Ça te dirait qu'on dîne chez Lunch, la semaine prochaine ? Juste toi et moi ? demanda Eliza, se reprochant aussitôt son ton suppliant.

– Peut-être, soupira-t-il. Il y a beaucoup de travail au bureau.

– Ne t'en va pas ! dit-elle, les lèvres tremblantes.

Elle leva le menton vers lui pour qu'il l'embrasse. Elle aurait tant voulu qu'il comprenne.

Jeremy soupira à nouveau et parut sur le point de s'en aller. Mais, au lieu de ça, il baissa la tête, frôla ses lèvres. Ils demeurèrent ainsi, sur le porche, pendant ce qui sembla à Eliza une éternité.

– Je t'aime, tu sais, marmonna-t-elle dans sa chemise.

– Je sais, répliqua-t-il, se dégageant à contrecœur. Mais faut que je sois au bureau de bonne heure demain, et je ne peux pas me permettre de louper le dernier train.

Il grimpa dans sa camionnette rouillée, seul témoin de son ancienne profession.

Eliza le regarda s'éloigner et se demanda si elle le reverrait jamais. Une chose l'avait frappée : il n'avait pas répondu à son « Je t'aime ».

# La potion magique de Jacqui, c'est les garçons !

Jacqui fut désolée de constater que le cours où elle s'était inscrite était plein de gosses de riches archi-bosseurs, qui ne visaient pas moins que la perfection, ce qui ne fit que rendre encore plus déprimants les résultats de son premier test d'évaluation. Jacqui venait de fourrer ses livres de préparation à l'examen sur la banquette arrière de la Prius lorsqu'elle vit Philippe arriver en scooter. Il retira son casque et s'ébouriffa les cheveux.

– *Attends !* s'écria-t-il en apercevant Jacqui.

Elle s'appuya sur la portière de la voiture et sourit.

– Que se passe-t-il ? demanda-t-elle.

– *Pas grand-chose.* Tu vas où ?

– En cours. On est mercredi, tu te souviens ?

Jacqui lui avait parlé du cours l'autre soir quand, déboulant dans le cottage à minuit, il l'avait trouvée plongée dans son livre. Elle lui avait expliqué en quoi cela consistait et il l'avait taquinée sur le fait que les andouilles de son cours devaient avoir du mal à se concentrer sur leur boulot, avec une camarade de classe comme elle. Quant à Philippe, sa seule ambition dans la vie, c'était de gagner le tournoi de tennis Rolex, de devenir pro et, plus globalement, de passer des super moments à rebondir d'une station balnéaire à l'autre. Tout ce qu'il souhaitait, c'était vivre en tennisman bohème.

– Viens plutôt faire une partie de billard ! proposa-t-il. Tu peux louper un cours, non ?

Un sourire insolent aux lèvres, le regard provocant, il la détailla de pied en cap.

Jacqui se mordit la lèvre. Jouer au billard avec Philippe promettait d'être plus drôle que de résoudre des problèmes linguistiques dans un sous-sol humide. Elle ne s'autorisait quasiment aucune distraction depuis des semaines. Songer que c'était elle, Jacqui, qui assumait les trois quarts du boulot. Elle en était fière, elle avait la manière avec les gamins. Mais elle regrettait de ne pas s'amuser davantage.

Philippe la prit par la main, et ils se faufilèrent dans la demeure principale pour se diriger vers la salle de projection, équipée dans un coin d'une table de billard. L'une des choses les plus étonnantes, chez les Perry, c'est qu'ils n'étaient quasiment jamais là pour profiter de la profusion d'équipements de la maison. Les jumelles couraient sans cesse d'une fête à l'autre, Ryan préférait s'en tenir à sa chambre, et les nombreux gadgets – l'écran large de cinq mètres, les quads garés près de la plage, le PacMan d'origine et les flippers – étaient rarement utilisés.

Philippe enserra les billes dans le triangle, et Jacqui cassa, envoyant une bille pleine jaune dans une poche de coin.

– Alors, tu étais passé où ? demanda-t-elle en frottant de craie bleue le bout de sa queue de billard.

Philippe manquait depuis plusieurs jours à l'appel. Elle se pencha sur la table pour tirer le coup suivant. Elle en loupa un qui était pourtant facile, et la bille heurta le bord opposé au lieu de rouler dans la poche toute proche.

– Il fallait que j'aille au consulat de France, et comme Anna avait besoin que je l'aide pour un truc, on est restés deux jours à New York, expliqua-t-il en contournant le billard afin de trouver le meilleur angle.

– Hum... Vous étiez juste tous les deux ?

Philippe haussa les épaules et envoya une bille rayée dans une poche.

– Oui. Tu es déjà allée dans leur maison de New York ? Elle est magnifique, dit-il.

Jacqui s'en voulut d'éprouver de la jalousie, mais c'était comme ça. Elle aurait juré que Philippe s'intéressait à elle et pourtant, ils avaient beau dormir tous les soirs dans la même chambre, il n'avait jamais rien tenté. Elle s'était promis de résister aux garçons cet été, mais n'avait pas songé une seconde que l'on puisse lui résister, à elle.

– J'adore New York, dit Jacqui d'un ton songeur.

En fait, elle n'y avait jamais mis les pieds, mais n'avait aucun mal à l'imaginer : les rues animées, les gens, les petits cafés, les boîtes de nuit, le shopping. Jacqui aimait le Brésil, mais c'est à New York qu'elle avait l'intention de faire sa vie.

– C'est la plus belle ville du monde, déclara-t-elle.

Philippe grommela, se penchant pour jouer.

– Je veux vivre à New York l'année prochaine, ajouta Jacqui.

Il leva les yeux vers elle.

– Pourquoi ?

Elle lui exposa son projet d'aller à Stuyvesant – et, avec un peu de chance, à l'université de New York –, précisant qu'elle espérait qu'Anna l'aiderait à trouver une situation de nounou à domicile si elle travaillait bien cet été.

Ils jouèrent, égalisant le score à chaque coup, jusqu'à ce qu'il ne restât plus que la bille noire, la n° 8. C'était une situation délicate et Jacqui s'appliqua, se tortillant de façon à pouvoir viser juste.

– Tu es obligée de garder un pied au sol, fit remarquer Philippe, tandis que Jacqui, assise sur le rebord de la table, balançait ses mules à talons.

– J'essaie ! répliqua-t-elle dans un éclat de rire.

– Comme ça, dit Philippe, s'approchant d'elle par-derrière, et guidant ses gestes avec précision.

Elle le laissa pousser la queue de billard et la bille s'engouffra dans une poche au coin de la table.

– Alors, qui est-ce qui a gagné ? demanda Jacqui en se tournant vers lui.

Philippe avait toujours les bras autour d'elle.

– Disons qu'on est à égalité, dit-il en se penchant pour respirer l'odeur de ses cheveux.

Philippe se pressa contre son dos, et Jacqui sentit la chaleur émanant de son corps. Impossible de résister. Elle s'abandonna à son étreinte. Des frissons la parcouraient tandis qu'il couvrait son cou de baisers. Elle ferma les yeux et leva la tête vers lui. Comme s'il devinait ses pensées, il la coucha avec délicatesse sur le billard. La tête de Jacqui heurta le plafonnier.

– Aïe ! s'esclaffa-t-elle en l'attirant contre elle.

Il lui embrassa le cou, les épaules, ses doigts se perdirent dans les cheveux de Jacqui... Elle referma ses bras sur son dos.

– Jacqui ?

Les lumières de la salle de projection se rallumèrent soudain.

Jacqui repoussa Philippe. Ce faisant, elle donna un coup dans la queue de billard, qui vint frapper Philippe au beau milieu du front.

– Aïe !

– Qu'est-ce que vous faites ? demanda Zoé, un ours en peluche dans les bras. Pourquoi vous vous êtes mis sur la table de billard ?

Dire que c'était *précisément* pour éviter ça que Jacqui s'était fixé des règles du genre « Fini les garçons » !

# Personne ne cache Mara dans un coin :

Une autre soirée de folie au Septième Cercle... Eliza s'efforçait de contenir le flot impétueux des fêtards se pressant derrière le cordon de l'entrée. Kartik lui avait conseillé d'introduire les gens au compte-gouttes, par petits groupes de deux ou de trois, si bien qu'il y avait toujours une longue file d'attente, donnant l'impression que la boîte était encore plus assaillie qu'elle ne l'était réellement.

Eliza scruta la foule, cherchant à apercevoir Jeremy. Elle espérait qu'il passerait de nouveau à la boîte, mais il n'était pas encore reparu. Elle ne l'avait pas revu depuis le désastreux dîner chez ses parents, la semaine précédente. Elle lui avait laissé deux messages sur son portable et au bureau – où le crétin qui avait répondu l'avait priée à deux reprises d'épeler son nom. Mais Jeremy ne l'avait pas rappelée.

– Votre nom ? demanda-t-elle à une femme d'âge mûr en tailleur pantalon beige qui avait joué des coudes dans la file d'attente.

– Margot Whitman, répondit la dame d'un ton sec.

Eliza fit glisser son doigt sur la liste, passant les noms en revue. *Wilson (Owen), Wilson (Luke plus un), Williams (Venus & Serena), W Magazine, Women's Wear Daily.*

– Je suis désolée. Vous n'êtes pas sur la liste, rétorqua-t-elle.

Alan avait précisé que la liste ne s'appliquait qu'aux « civils ». Les mannequins, et autres filles sublimement belles, ainsi que les célébrités en général avaient le droit d'entrer de toute façon, que leur nom soit sur la liste ou non. Mais les gens normaux, groupe auquel la femme appartenait visiblement, pouvaient geler en enfer avant de pouvoir franchir le seuil du Septième Cercle.

– Je suis la mère d'Alan, déclara la femme. C'est une blague ou quoi ? Vous voulez bien aller me chercher mon vaurien de fils, que je puisse entrer. C'est ridicule. J'ai des clients qui attendent à l'intérieur.

– Je suis désolée. Vous ne voudriez pas appeler Alan sur son portable, pour qu'il puisse confirmer ? Je ne peux rien faire pour vous, insista Eliza d'une voix désolée.

La femme leva les bras au ciel.

– C'est quoi ces foutaises ! Je suis sa mère ! Laissez-moi entrer !

Eliza ne céda pas. Les paroles d'Alan résonnaient dans son esprit : *La liste, c'est Dieu tout-puissant. Même si ma mère est là-dehors, mais qu'elle n'est pas sur la liste, c'est pas de bol pour elle !*

Et si cette femme était mythomane – bien qu'elle eût, à vrai dire, le menton fuyant et les yeux globuleux d'Alan ? Mais le règlement était sacré et, pour une fois, Eliza n'avait pas envie de l'enfreindre. C'était trop jouissif, parfois, de pouvoir dire « non ».

– Je suis désolée. Je ne peux rien pour vous, trancha Eliza.

Veuillez vous mettre sur le côté. Vous n'êtes pas sur la liste. Au suivant !

– Ohé, Eliza, lança une voix familière.

Son cœur bondit dans sa poitrine – Jeremy était là ! Mais lorsqu'elle leva les yeux, c'est Ryan qui se tenait devant le cordon de velours. Il portait un pull en lin qui soulignait le vert de ses yeux, et un jean. Il ne respectait absolument pas le *dress code*, mais le règlement ne s'appliquait pas aux garçons aussi beaux que Ryan Perry.

– Hé Ryan ! dit gaiement Eliza.

Elle fit signe à Rudolph d'ouvrir le cordon.

– C'est le délire, ce soir, non ? fit remarquer Ryan.

Il désigna la masse grouillante et bouillonnante. Tous le foudroyaient du regard, se demandant pourquoi il n'était pas obligé de faire la queue. Quelqu'un balança même une bouteille de bière, qui vint s'écraser aux pieds d'Eliza. Rudolph évacua aussitôt le quidam frustré.

– Tu n'as pas idée ! répliqua Eliza en secouant la tête à la vue du souk. Pourquoi les boîtes réveillent-elles ce qu'il y a de plus bas chez l'homme ? Les gens normaux prétendent qu'ils sont sur la liste, ceux qui sont effectivement sur la liste veulent des tables dans la salle VIP, et les célébrités veulent... oh, tout et n'importe quoi. L'autre jour, il a fallu que je veille sur le manteau de fourrure de Naomi Campbell. Il avait paraît-il besoin d'un massage ! précisa Eliza dans un éclat de rire.

Ryan haussa les épaules et sourit jusqu'aux oreilles.

– Ah, t'inquiète pas, tu vas t'en sortir !

Eliza lui tendit des coupons pour des consommations gratuites.

– Je suppose, oui, répondit-elle en levant les yeux au ciel.

C'était chouette, de retrouver Ryan. Ils s'étaient à peine vus depuis leur arrivée, peut-être à cause de ce qui s'était passé à Palm Beach. Ah, satané Palm Beach ! Eliza regretta, et ce n'était pas la première fois, d'y être jamais allée.

– Eliza, ohé ! On est là !

Eliza fit volte-face et aperçut Mara et Garrett, qui jouaient des coudes pour parvenir en tête de file. La joie l'envahit à nouveau à la vue d'un autre visage ami. Leur faisant signe à son tour, elle les invita à rejoindre le cordon de l'entrée.

Ryan se retourna lui aussi, mais son visage s'assombrit dès qu'il aperçut Mara et Garrett.

– Faut que j'y aille, dit-il à Eliza en lui donnant une petite tape sur l'épaule. J'ai rendez-vous avec Allison à l'intérieur.

– Tu vas où, Perry ? cria Garrett.

Mara vit Ryan s'éloigner sans les avoir salués, et son cœur se serra. Ce pull lui allait si bien… De tous les pulls de Ryan, c'était son préféré. L'été dernier, elle le lui avait emprunté lorsqu'ils étaient sur la plage et que l'air avait commencé à fraîchir. Il était si grand qu'il lui arrivait aux genoux.

Deux semaines durant, Mara avait trouvé toutes sortes de prétextes pour refuser les invitations de Garrett : elle devait rester chez les Perry pour garder les enfants, elle était fatiguée, elle avait des choses à faire… Mais la veille, elle avait fini par céder. Elle avait croisé Ryan et Allison en train de se balader sur la plage puis, rentrant au cottage, avait aperçu les portants chargés de somptueux vêtements. Quel dommage, de les priver des flashs des paparazzis ! Et puis, au fond, n'était-ce pas ce qu'on attendait d'elle ? Qu'elle porte les vêtements et se laisse photographier ?

– Comment vas-tu ? gloussa Mara, très théâtrale, en faisant deux bises à Eliza. Tu étais passée où ?

– Je vais... euh... bien, dit Eliza, recommençant à culpabiliser pour l'épisode Palm Beach. J'étais ici... Tu sais où me trouver.

– OK... n'empêche... faut absolument qu'on se voie, un de ces quatre... Enfin, quoi qu'il en soit... tu crois que tu pourrais nous avoir une table ? Mes talons me font un mal de chien !

L'été dernier, Mara ne portait que des baskets ou des tongs. Eliza nota qu'elle était juchée, ce soir-là, sur des sandales Manolo Blahnik incroyablement hautes, avec deux lanières ornées de strass étincelants au niveau de la cheville et des orteils. Eliza avait rêvé d'avoir les mêmes, mais elles n'existaient plus dans sa pointure. Comment Mara s'était-elle procuré celles-ci ?

Eliza leur fit franchir la double porte et traverser la piste de danse à deux niveaux, éclairée par la lumière des stroboscopes. La musique était assourdissante, et la foule consistait en un mélange de gars trop habillés et de filles à moitié nues. Eliza remarqua un couple particulièrement démonstratif étendu sur l'un des divans géants, et se demanda si elle ne devrait pas les recouvrir d'un manteau.

– Garrett, mon pote ! dit Kartik, tandis qu'Eliza les plaçait, lui et Mara. Ça fait plaisir de te voir !

Il se tourna vers Eliza.

– C'est toi qui as laissé rentrer les horreurs qui sont là-derrière ? accusa Kartik.

Il montrait du doigt deux types quelconques et leurs petites copines aux cheveux laqués qui jetaient des coups d'œil avides autour d'eux, en prenant des photos avec leur téléphone portable.

Eliza secoua la tête. Ils avaient dû réserver une table au restaurant pour pouvoir entrer.

– Débrouille-toi pour détourner l'attention d'eux, tu veux bien ? Ils tuent sérieusement l'ambiance. Et je veux qu'ils soient sortis d'ici quand Mitzi se pointera.

Eliza hocha la tête. Elle pria le serveur d'atténuer l'éclairage, puis retourna là où elle avait placé Garrett et Mara, sans réaliser que la table de Ryan et Allison était dangereusement proche.

– Ça te dirait, qu'on aille faire les magasins demain ? demanda Mara quand ils eurent commandé leurs verres.

La barmaid s'empressa d'aller chercher la bouteille de vodka finlandaise très coûteuse qu'avait choisie Garrett, tout en haut des étagères.

– C'est notre jour de paye ! précisa-t-elle.

– Ouais, c'est pas le mien... Mais bon, pourquoi pas ? répondit Eliza sur un ton plus brusque qu'elle ne le souhaitait.

Mara aperçut Ryan, un peu plus loin dans la salle VIP. Il s'appuyait au bar, Allison à ses côtés. La grande blonde au type nordique riait à ce qu'était en train de lui raconter Ryan, et cela désespérait Mara de voir le garçon lui sourire en retour, révélant ses fossettes.

– Tu as l'air songeur, dit Garrett en lui tendant le mojito qu'elle avait commandé.

Après avoir goûté celui qu'Eliza avait confectionné lors de leur premier week-end, ce cocktail cubain à la saveur piquante était rapidement devenu la boisson préférée de Mara. La saveur du sucre de canne et des feuilles de menthe écrasées lui rappelait ses derniers moments de bonheur. Depuis son arrivée dans les Hamptons, les choses n'avaient pas vraiment tourné comme elle l'avait espéré. Ryan sortait avec une autre fille, Eliza se montrait étrangement distante et, avec Jacqui et Philippe, elle se sentait comme un cheveu sur la soupe. Les gosses eux-mêmes ne paraissaient pas l'aimer autant que l'année dernière.

– Je réfléchissais…, répondit-elle en regardant Ryan frotter les épaules d'Allison.

*Beurk !* Elle se tourna à nouveau vers Garrett.

– On va danser ?

Garrett sourit.

– Tout ce que tu veux, poupée !

Il se leva et lui tendit la main. Ils se faufilèrent au centre de la piste de danse, où la foule tournoyait au son du tube de Nelly, *Hot in Herre*. La chanson était déjà vieille d'un an, mais faisait toujours un tabac dans les boîtes.

Mara commença à onduler des hanches et sentit son corps s'accorder au rythme de la musique. Elle dansa lascivement autour de Garrett, promena les mains le long de son dos, pressa ses jambes contre celles du jeune homme. Contrairement aux gars de son âge, pour qui danser consistait à répéter indéfiniment le même pas, Garrett savait vraiment bouger. Ses hanches imposèrent aux cuisses de Mara un mouvement sinueux et sensuel. Mara se laissa aller, enivrée par la musique, l'alcool et le souffle de Garrett dans son cou. Elle se tourna. Garrett l'attira vers lui et vint se plaquer contre son dos.

C'était un sacré show, un show que Ryan ne pouvait pas rater, car c'en était précisément le but. Jetant un coup d'œil dans sa direction, Mara eut la satisfaction de constater qu'il avait cessé de parler à Allison et qu'il la regardait d'un air dégoûté. Mara rejeta ses cheveux en arrière et se colla contre Garrett.

– Nom de Dieu, ce que tu es sexy ! lui glissa-t-il à l'oreille d'une voix pressante. Où est-ce que tu as appris à danser comme ça ?

Mara sourit timidement. Elle aimait bien Garrett. Mais surtout, elle aimait se servir de Garrett pour rendre Ryan jaloux. Ainsi ce dernier finirait-il peut-être par réagir ?

À l'autre bout de la boîte, Alan saisit Eliza par le coude alors qu'elle conduisait Kit et une bande de gazelles d'Europe de l'Est à leur table.

– Ma mère vient de me passer un savon. Elle prétend qu'elle n'a pas pu entrer dans la boîte. Comment ça se fait ?

Eliza était pétrifiée.

– Votre mère ? Margot Whitman ? Mais elle n'était pas sur la liste ! expliqua-t-elle pour justifier son attitude. Et vous aviez dit que...

Le visage d'Alan se décrispa.

– Elle n'était pas sur la liste ? Eh bien, dans ce cas... Une seconde... Maman ! Tu n'avais pas téléphoné pour confirmer ? hurla-t-il dans son portable. Combien de fois faut-il que je te le répète... réserver, c'est obligatoire ! Non, je ne peux pas le faire à ta place ! Je suis un homme très, très occupé ! Pourquoi est-ce que tu ne m'écoutes jamais ? Tu n'entres pas si tu n'es pas sur la liste ! Comment ça, l'accouchement a duré vingt-quatre heures ? Ça suffit, je dirige une boîte !

Avant de s'éloigner, il tapota l'épaule d'Eliza.

– Bien joué ! mima-t-il.

# Ne comptez pas
# sur une gamine de sept ans
# pour ne pas cafter

Anna Perry finit par se présenter à un bilan hebdomadaire le lendemain. C'était le vendredi précédant le week-end du 4 Juillet, et elle emmenait les gamins à Nantucket rendre visite à leurs grands-parents. Malheureusement pour elle, les parents de Kevin estimaient pouvoir se débrouiller sans employés, et les baby-sitters eurent donc droit, eux aussi, à des jours de congé.

– Oh, salut Mara, dit Anna, se levant carrément pour embrasser Mara sur les deux joues.

Mara réagit comme si c'était naturel, sans prêter attention à la stupéfaction de Jacqui.

Avant de se rendre au Septième Cercle, la veille au soir, Mara et Garrett avaient croisé Anna au feu d'artifice annuel de bienfaisance du club Boys & Girls, où Anna avait vu Mara bavarder avec Jessica Seinfeld. Une invitation chez les Seinfeld était l'honneur le plus recherché des Hamptons, et Anna n'avait encore jamais réussi à en obtenir une.

– Alors, comment va tout le monde aujourd'hui ? demanda Anna d'une voix gaie, jetant un coup d'œil sur la tablée.

Philippe, un sourire suffisant aux lèvres, était assis les pieds sur la table. À côté de lui, Jacqui se tortillait sur sa chaise.

Elle était certaine qu'ils seraient renvoyés, après avoir été surpris par Zoé en train de folâtrer au billard. Depuis, Jacqui avait gardé ses distances avec Philippe, esquivant toutes ses tentatives pour reprendre les choses là où ils les avaient laissées. Jacqui aurait juré qu'Anna faisait durer le plaisir avant de porter le coup fatal.

Anna passa en revue les rapports relatifs à l'évolution de la situation. Le bilan était plus dramatique qu'à l'ordinaire, y compris pour les enfants Perry. Le Dr Abraham signalait que William manifestait à présent des symptômes de trouble bipolaire en plus de son problème d'hyperactivité et que lui et Cody – lequel était probablement schizophrène – allaient devoir être suivis en permanence. Zoé ne reconnaissait toujours pas les caractères de l'alphabet cyrillique (bien qu'elle fût parvenue à apprendre par cœur un article de *Marie-Claire* intitulé « Comment découvrir votre zone érogène ? » – Zoé pensait que c'était son coude). Pourtant, Anna était étrangement exubérante.

– Mais Rome n'a pas été construite en un jour, n'est-ce pas ? demanda-t-elle avec un clin d'œil à Philippe, en distribuant les trois enveloppes pleines de billets de banque. Ma petite Jacqui, tu veux bien rester un moment ?

– Bien sûr, dit cette dernière en se rasseyant nerveusement.

Mara la questionna du regard, mais Jacqui fit celle qui n'avait rien vu. Elle n'avait pas parlé de Philippe à Mara, car elle était pleinement consciente d'avoir enfreint sa règle d'or, et n'avait pas besoin qu'on la sermonne à ce sujet. Elle se sentait déjà assez bête comme ça.

– Pour commencer, Philippe m'a tout raconté, commença Anna, une fois tout le monde parti et la porte refermée.

*C'est fichu. Je suis virée*, pensa Jacqui. *Adieu East Hampton. Adieu, New York. Bonjour, ristournes et promos jusqu'à la fin de ma vie.*

– Et je trouve que c'est une excellente idée, commenta sèchement Anna, en fourrant ses documents dans son sac à main.

– *Desculpe-me*... euh... pardon ?

– Que vous passiez l'année chez nous, à New York, dit Anna en souriant. C'est ce que vous désirez, n'est-ce pas ?

– Je vous demande pardon...

– Afin que vous puissiez y effectuer votre dernière année de lycée. C'était votre projet, n'est-ce pas ? Assister aux cours de Stuyvesant afin de pouvoir poser votre candidature à l'université de New York ?

Jacqui hocha la tête, bouche bée. Philippe était allé raconter tout cela à Anna ? Dans quel but ? Et pourquoi cela semblait-il tant réjouir Anna ?

– Je crois que nous allons pouvoir arranger ça, poursuivit Anna, sur un ton songeur. (Elle se moucha délicatement dans un Kleenex de couleur rose.) La nounou sera rentrée, bien sûr, mais elle aura besoin d'une assistante. Les gamins sont vraiment très dissipés, ces derniers temps. Bien sûr, il vous faudra travailler très dur.

– Bien sûr, approuva Jacqui, se mordillant l'intérieur de la joue.

– Et renoncer à toute distraction, dit Anna avec insistance. Je tiens à souligner ce point précis. Si vous devez travailler pour nous durant l'année scolaire, j'exige que vous ayez un comportement irréprochable cet été.

Anna jeta un coup d'œil vers la porte.

– Vous voyez où je veux en venir...

– Je crois, oui.

Jacqui saisissait lentement ce qu'Anna attendait d'elle, en échange d'un travail pour l'année prochaine : Philippe.

– Une dernière petite chose... J'ai décidé d'installer Philippe dans la demeure principale. Zoé a fait allusion à une partie de billard particulièrement intéressante, qu'elle aurait interrompue. Je ne crois pas que ce type de comportement soit très souhaitable en présence d'enfants. C'est bien compris ?

Un silence pesant s'abattit sur la pièce. Pendant plusieurs secondes, seul se fit entendre le bourdonnement de l'ordinateur portable d'Anna. Suite aux paroles de celle-ci, les pensées se bousculaient dans l'esprit de Jacqui. D'une part, Anna lui proposait tout ce qu'elle visait, par son travail, à obtenir cet été : un boulot, un logement, une chance de s'enrichir intellectuellement. D'autre part... il y avait Philippe. Philippe, avec son sourire diabolique, son visage angélique, son corps de mannequin. Philippe. Le seul type qui, depuis Luca, faisait battre son cœur plus vite.

– Vous pensez pouvoir y arriver ?

Anna était en train de l'acheter. Il n'y avait pas d'autre mot pour ça. *Très bien*, pensa tristement Jacqui. S'il fallait cela, elle n'avait guère le choix. Elle cesserait de fréquenter Philippe. Ne l'embrasserait plus jamais. Ne passerait plus jamais les doigts dans ses cheveux soyeux. Mais après tout, ce n'était pas le seul mec sur terre ! Un beau gosse français ne valait pas qu'elle lui sacrifie son rêve de vivre à New York et d'entrer à l'université. Aucun type ne méritait qu'elle lui sacrifie son avenir.

142

Elle hocha la tête.

– Bien entendu.

Anna Perry sourit.

– Je savais que je pourrais vous faire confiance.

# Les meilleures choses
# ne coûtent rien

Travailler dans une boîte de nuit était loin d'être aussi glorieux que se l'était figuré Eliza. Même la satisfaction de pouvoir décider qui pouvait entrer ou non ne suffisait pas à contrebalancer les humiliations subies pour satisfaire aux exigences des people et des aspirants à la célébrité. L'autre soir, elle avait dû passer toutes les quinze minutes un brumisateur d'eau d'Évian sur le visage d'une célèbre actrice – cette dernière voulant éviter que sa peau ne se déshydrate pendant qu'elle descendait des magnums de champagne.

Et il n'y eut pas de moment moins gratifiant que celui où, ouvrant l'enveloppe contenant sa paye, elle découvrit précisément ce que lui rapportait son travail au Septième Cercle. Elle se précipita dans le bureau d'Alan, expliquant qu'il devait y avoir erreur. Alan jeta un coup d'œil à son chèque. Il s'avéra qu'il y avait *effectivement* erreur : ils avaient oublié de déduire une partie des charges, et le montant aurait dû être encore plus bas. Eliza fit le calcul et en déduisit qu'elle touchait à peine le minimum légal. Lorsqu'elle s'en plaignit à Kit, il lui rétorqua qu'après sa terminale, il avait fait un stage de six mois au magazine *Rolling Stone* sans toucher un sou. C'était un job de prestige, pas un job qui rapportait. C'était déjà une chance pour elle de bosser au Septième Cercle et, puisque ses parents étaient en train de remonter la pente, elle n'avait pas vraiment besoin de gagner sa vie, pas vrai ?

Eh bien non, ce n'était pas tout à fait vrai. Ses parents avaient été suffisamment généreux pour lui autoriser l'usage d'une nouvelle MasterCard mais, suite à plusieurs razzias chez Calypso, Tracy Feith et Georgina, elle avait déjà atteint le plafond autorisé. Chaque soir, il lui fallait trouver une tenue différente, à la fois chic et sexy, et ça commençait à devenir difficile avec un budget limité.

Son boulot au Septième Cercle était censé être son ticket pour une place au soleil. Or, au lieu de devenir une personnalité incontournable de la vie nocturne – la version « junior » de Mitzi Goober – Eliza s'était retrouvée à devoir servir ses anciens camarades. L'autre soir, elle avait dû faire en sorte que Sugar puisse faire du saut à l'élastique du haut du meuble à alcools, à la grande joie de l'équipe télé, puis il lui avait fallu passer le balai à cause des bouteilles écrasées sur le sol.

Eliza arriva au cottage à l'instant même où Jacqui et Mara comptaient les billets que contenait leur enveloppe. Philippe s'était déjà absenté pour le week-end – il avait mentionné une invitation chez des amis, à Sag Harbor. Eliza eut un pincement au cœur en voyant tout cet argent.

– On va à la banque ? demanda joyeusement Mara.

Si elle travaillait un été de plus pour les Perry, elle aurait de quoi payer la totalité de ses frais d'études à l'université.

Jacqui fourra négligemment l'enveloppe dans un tiroir, se contentant d'en retirer quelques billets de cent dollars, au cas où elles s'arrêteraient dans un endroit marrant. Elle avait l'intention d'utiliser la plus grande partie de l'argent pour financer la préparation au concours d'entrée à la fac – un investissement de taille, mais avec un peu de chance, elle n'aurait pas à le regretter

– D'où ça sort, tout ça ? demanda Eliza en remarquant, dans un coin de la pièce, les deux portants chargés de vêtements. Oh mon Dieu ! Est-ce que c'est le fameux jean Sally Hershberger ? glapit-elle, piquant droit sur un jean délavé qui valait mille dollars en magasin. Je le veux !

Elle prit le jean et l'examina attentivement à la lumière.

– Où est-ce que tu l'as dégoté, nom de Dieu ?

– Mara est célèbre, plaisanta Jacqui, farfouillant parmi les sacs de shopping et en extirpant un foulard Gucci à motif psychédélique.

C'était vrai. Garrett Reynolds hériterait d'une fortune se chiffrant en milliards de dollars, et les journaux se passionnaient tout autant pour sa vie sentimentale que pour les coûts de construction toujours plus élevés du château des Reynolds (dont ils étaient parvenus à obtenir et à publier des plans, révélant qu'il ne compterait pas moins de trente-cinq salles de bain). Parmi les anciennes petites amies de Garrett, on trouvait des starlettes célèbres. Les origines obscures de Mara ne faisaient qu'ajouter à l'intérêt que lui portait la presse à sensation – Lucky Yap en tête, qui adorait faire paraître des photos du jeune couple, aussi mondain que séduisant. La page 6 les avait surnommés « La beauté et le milliardaire ».

Mara rougit et expliqua, sur un ton d'excuse, que c'étaient des « cadeaux » de couturiers, qu'elle était censée porter lorsqu'elle sortait.

– Tu veux dire que tu as tout ça gratis ? demanda Eliza, stupéfaite.

Pas étonnant que Mara ait eu une telle allure, l'autre soir, au Septième Cercle. Eliza fouina dans le reste du butin, les yeux écarquillés. L'étole à imprimé léopard Shoshanna ! Le dernier pantalon en cuir avec galon de chez Alvin Alley ! La robe Marni incrustée de turquoises ! La pochette en python Devi Kroell, d'une valeur de deux mille dollars !

– Waouh, c'est hallucinant, s'exclama Eliza. J'arrive pas à croire que tout ça soit à toi.

Le jean Sally Hershberger ! Elle rêvait d'en avoir un depuis qu'elle avait lu cet article dans *Vogue*... Le jean en question avait la réputation d'être le meilleur du monde. Les étoffes européennes et japonaises les plus belles et les plus douces étaient taillées à la main par Sally Hershberger, la relookeuse d'Hollywood qui prenait six cents dollars pour une coupe de cheveux.

– Tu crois que je pourrais l'emprunter ? On fait la même taille, non ? demanda Eliza, en retirant le jean du cintre et en le plaquant contre ses jambes.

– Oh, je ne sais pas, répliqua Mara d'une voix nerveuse. Il a fallu que je signe toutes ces clauses de responsabilité...

Eliza fit la moue.

– Oh, ce n'est qu'une formalité. Ils ne demanderont jamais à les récupérer. Pas vrai, Jacqui ?

Jacqui haussa les épaules.

– En général, ils te les laissent. Mais j'imagine que ça dépend des cas.

Eliza, qui s'était déjà débarrassée de son pantalon de treillis, remontait la fermeture éclair du jean.

– Il est sublime ! Je n'arrive pas à croire qu'ils te l'aient envoyé à *toi* ! dit-elle.

– Et pourquoi pas ? rétorqua Mara, un peu vexée.

Eliza les avait salement lâchées cet été, elle et Jacqui. Et maintenant qu'elle leur rendait visite, elle laissait entendre que Mara ne méritait pas cette garde-robe gratuite.

Eliza ne répondit pas. Elle était trop excitée de porter le jean de ses rêves.

– Tu me le prêtes, dis ? Je t'en prie, je t'en prie, je t'en prie. Allez, prête-le moi !

– Oh, d'accord, concéda Mara. Mais s'il lui arrive quoi que ce soit...

Elle fit le geste de l'égorger.

Eliza poussa un cri de joie et serra Mara dans ses bras.

– Je te revaudrai ça !

Mara ne se sentait pas très tranquille à l'idée de prêter des vêtements qui n'étaient pas à elle. Mais Eliza ne lui laissait guère la possibilité de refuser.

– Alors, vous en êtes où, Garrett et toi ? demanda Eliza en remettant ses habits.

– Je l'aime bien, dit Mara d'une voix hésitante. C'est un chouette type. Au début, je l'ai pris pour un odieux gosse de riches, mais il vaut mieux que ça.

– Et Ryan, alors ? lança Jacqui.

– Il ne se souvient même plus que j'existe, rétorqua Mara avec un haussement d'épaules.

Le nouveau Ryan, si distant, n'avait pas grand-chose à voir avec le charmant garçon de l'été précédent.

– Il y a pas grand-chose à dire... Ryan, c'est du passé.

Eliza fut soulagée. Selon toute évidence, elle pouvait cesser de se faire du mouron pour Palm Beach. Si Mara avait tourné la page, alors quelle importance ? Jacqui elle-même ne trouvait plus cela si grave. Comme tous les habitués des Hamptons, elle voyait désormais en Mara la nouvelle petite amie de Garrett Reynolds.

Mara déposa son argent à la banque puis rejoignit Eliza et Jacqui au magasin d'usine Neiman Marcus. Elles passèrent en revue les vêtements de marque à prix réduits. Le lieu avait la réputation de vendre des fringues sublimes à prix sacrifié. Les étiquettes portaient un autocollant de couleur différente selon la date de mise en vente des vêtements. Plus il demeurait longtemps invendu, plus un article devenait bon marché.

– Regardez-moi ça ! gloussa Eliza en brandissant un top orange riquiqui, imprimé d'un motif alambiqué et multicolore. Vous le trouvez pas trop délirant ?

– Il est plutôt voyant, c'est sûr, reconnut Mara.

– Mais c'est un Missoni, précisa Eliza d'un ton plein de respect. Et il est à ma taille. Je le prends ! Il ira super bien avec mon nouveau jean ! dit-elle, comme si le jean Hershberger était vraiment à elle.

Elle dégota d'autres articles de choix : un impeccable petit manteau blanc Balenciaga qui ne faisait pas trop *has been* et un chemisier Yves Saint-Laurent à motif « traces de baisers », avec une toute petite tache noire qu'un bon teinturier saurait faire disparaître – Eliza n'avait aucun doute à ce sujet. Jacqui dénicha une robe-chemise grise Narciso Rodriguez et des lunettes de soleil Christian Dior, tous deux coûtant moins de la moitié du prix d'origine.

– Tu n'as rien trouvé ? demanda Eliza à Mara, tandis qu'elles se dirigeaient vers la caisse. Tu as vu les ballerines Marc Jacobs, là-bas ?

– J'ai déjà le dernier modèle, répondit Mara en agitant les orteils dans une paire de souliers pastel à bouts ouverts du créateur en question.

– Oh ! s'exclama Eliza.

Ça lui faisait un effet bizarre que ce soit Mara qui possède les vêtements et accessoires les plus incontournables du moment. Elle s'était imaginé que travailler au Septième Cercle lui donnerait accès à ce genre d'avantages mais le seul bonus dont elle avait joui à ce jour était un laissez-passer pour une avant-première à laquelle Kartik n'avait pas envie d'assister.

– Il me reste tellement de vêtements que je n'ai pas encore portés ! soupira Mara, ramassant machinalement sur le comptoir un flacon de parfum ouvert pour en sentir les effluves.

– Ah ouais, j'avais oublié que tu étais la Julia Roberts des Hamptons, grommela Eliza, encore plus agacée lorsqu'elle constata que le montant de ses achats dépassait le crédit autorisé par sa carte.

*Mara réalisait-elle à quel point elle avait l'air snob ?*

– Jacqui, tu voudrais bien me prêter cinquante dollars ?

Jacqui secoua la tête, mais tendit le billet de banque à Eliza. Celle-ci ne changerait jamais. Vous auriez beau lui donner un million de dollars, elle serait à sec avant la fin de la semaine. Visiblement, s'habiller comme une princesse exigeait d'avoir le compte en banque pour. À moins de s'appeler Mara Waters, bien sûr.

# Le monde est plus beau vu du haut (d'une table)

– On peut en prendre une de Mara toute seule ? demandèrent les photographes amassés devant l'entrée du Septième Cercle, lorsque Garrett et Mara sortirent de la limousine, très tard un samedi soir.

Depuis le 4 Juillet – qu'ils avaient passé ensemble sur le yacht des Reynolds, à contempler les feux d'artifice au-dessus du Pacifique – tous deux ne se quittaient plus d'une semelle.

– Je vous en prie, dit Garrett en s'inclinant, avant de s'écarter. Elle est extra, n'est-ce pas ? lança-t-il pendant que Mara était aveuglée par les flashs. Tu es une vraie star ! lui grommela-t-il à l'oreille tandis qu'ils s'installaient à leur table habituelle.

Même si elle n'avait commencé à sortir avec Garrett que pour rendre Ryan jaloux, Mara ne pouvait s'empêcher d'apprécier sa compagnie.

Il passa un bras au-dessus du dossier de la banquette et referma sa main sur l'épaule de Mara en un geste possessif. Elle se blottit contre son torse, savourant le contact de la puissante main de Garrett sur sa peau nue. Lorsqu'il se pencha pour l'embrasser et enfouit son visage dans le cou de Mara, celle-ci, relevant les yeux, rencontra le regard de

Ryan Perry. Il était assis avec Allison, qui faisait signe à Garrett.

Celui-ci ôta le nez du décolleté de Mara.

– Perry ! lança-t-il en agitant la main. Salut Allison. Qu'est-ce que tu fiches avec ce bouffon ? ajouta-t-il pour plaisanter.

Ryan serra sans enthousiasme la main de Garrett.

– Salut Garrett... Mara.

– Salut, répondit-elle.

C'était le premier mot que Ryan lui adressait de la semaine. Lorsqu'ils se croisaient dans la maison, il se contentait généralement d'un bref signe de tête.

Garrett se leva pour embrasser Allison sur la joue.

– Venez vous asseoir avec nous, allez...

Ryan interrogea Allison du regard. Celle-ci haussa les épaules et rendit à Garrett son sourire.

– Avec plaisir, dit-elle en prenant place à côté de Garrett.

Ryan était vêtu d'une chemise cubaine et d'un jean délavé – ce qu'il appelait, pour s'amuser, le « smoking des surfeurs ». Garrett paraissait soudain endimanché, avec sa chemise à manchettes Dolce & Gabbana et son jean noir amidonné.

Mara se dégagea de l'étreinte de Garrett, mais Ryan détourna le visage et ne s'adressa qu'à Allison – qui gloussait à cause de ce que lui murmurait Garrett à l'oreille. Ce dernier expliqua qu'Allison et lui avaient fréquenté, un an durant, la même prépa à New York. Bientôt, tous trois entamèrent une conversation sur leurs connaissances communes.

– Vous êtes au courant, pour Fence Preston ? Il ne va pas tarder à péter les plombs, c'est sûr, déclara Garrett.

– Tu es tellement plus mignon, dit Allison en donnant à Ryan une pichenette sur le nez.

Mara, qui ignorait totalement qui était – ou ce qu'était – le fameux Fence Preston, se sentait nerveuse et délaissée. Mais Garrett veillait à remplir à nouveau son verre dès qu'il était à moitié vide, et elle commença à en engloutir le contenu rageusement.

– On fait un concours de boisson ? suggéra Garrett.

– Je suis partante, répliqua Mara.

Garrett commanda une bouteille de schnaps à la cannelle et versa le liquide doré dans quatre verres.

– C'est dégueu, ce truc ! dit calmement Allison en faisant la grimace, après en avoir siroté une gorgée.

Ryan vida à son tour le sien, avec une expression morose. Désespérément désireuse de l'impressionner, Mara fit de même.

– Encore un ! meugla Garrett, et tous trois descendirent quelques verres de plus.

C'est au moment précis où les quatre schnaps atteignaient Mara de plein fouet que le DJ effectua son remix de la soirée, sur la chanson de Bon Jovi *Livin' on a Prayer*. Les habitués du Septième Cercle comme Garrett et Mara reconnurent immédiatement l'« hymne officiel » de la boîte. C'est la chanson qui mettait le feu à la soirée, et à laquelle les célébrités réagissaient en dansant sur les tables.

– J'adooore cette chanson ! braillà Mara en chantant à voix haute. Elle est géniale !

– Hein, que c'est la meilleure ? demanda Chauncey Raven, se penchant vers leur box.

Petite et menue, la star de la chanson portait un soutien-gorge noir sous un tee-shirt blanc moulant, et une minijupe en jean tellement raccourcie qu'on voyait dépasser l'intérieur blanc des poches. Elle était pieds nus et une bague étincelait sur l'un de ses orteils.

– Allez, dansons ! s'exclama-t-elle en montant sur leur table, avant d'y hisser Mara.

Ivre et euphorique, Mara suivit l'exemple de la chanteuse, et toutes deux se mirent à onduler des hanches et à faire tournoyer leur chevelure, dans une brillante imitation des clips ringards des années 1980.

– Toi aussi ! dit Chauncey, remarquant Allison, toujours assise.

Allison secoua la tête, l'air déconcerté.

– Oh, non merci. J'aime mieux danser sur les chaises !

– Oh, j'ai oublié d'apporter mon verre, dit Chauncey en sautant de la table pour aller chercher son cocktail.

Seule sur la table, Mara heurta du pied la bouteille de schnaps, que Ryan Perry empêcha de justesse de se fracasser sur le sol. Mara se figea, se sentant soudain vulnérable. Elle remarqua que Ryan la regardait bizarrement. Peut-être ferait-elle mieux de redescendre. Elle hésita. Mais alors Garrett l'encouragea.

– Bravo ! Vas-y, Mara !

Il riait et sifflait, et plusieurs personnes dans la salle se mirent elles aussi à l'encourager. Portée par leurs cris, elle se mit à danser de manière encore plus frénétique. Leur box baigna vite dans la lumière des flashs.

– Par ici !

– Regarde un peu par là, mon chou !

– Tourne un peu la tête, Mara !

– On peut en prendre une où tu te penches sur Garrett ?

Trop heureuse de les satisfaire, Mara se pencha et plaqua

un baiser sur le front de Garrett, ce qui suscita un nouvel assaut de flashs. Mara se déhancha, fit la moue et prit la pose, remarquant que Ryan ne la quittait pas des yeux. Enfin ! Il la regardait !

– *Woooaaah, we're halfway there-uh... Whoooahh, livin' on a prayah...*, chanta-t-elle.

Elle s'éclatait comme une folle, jusqu'au moment où elle sentit une main, sur sa cheville. Baissant les yeux, elle aperçut Eliza qui la foudroyait du regard et qui, Dieu sait pourquoi, semblait furax. Mara, pourtant, était enchantée de la voir.

– Eliza ! Allez, monte ! ordonna-t-elle. *Take my hand, we'll make it I swear !* chanta-t-elle, en tendant la main à son amie.

– Descends de là ! Descends de là tout de suite ! À la seconde ! siffla Eliza, la tirant par la jambe.

– Hein ? J'entends rien à ce que tu me dis ! cria Mara.

– On a une inspection sanitaire, ici, ce soir. C'est un restaurant. Les gens n'ont pas le droit de danser sur les tables ! Ils peuvent faire fermer la boîte !

– Hein ? répéta Mara dans un éclat de rire.

– Je t'ai demandé de descendre ! hurla Eliza, nom de Dieu !

Elle l'entraîna par terre. Mara trébucha, sa jupe frôlant la bougie et manquant de prendre feu, et atterrit sur les genoux de Garrett.

– Qu'est-ce qui t'a pris de faire ça ? Tu veux me faire virer, ou quoi ? dit Eliza d'une voix furieuse.

– C'est quoi, ton problème ? demanda Mara.

Après tout, Lindsay Lohan avait fait quasiment le même numéro la veille au soir !

– Je n'ai pas de problème... c'est toi le problème. Tu te conduis comme une sale gosse ! lâcha Eliza.

156

Mara se comportait exactement comme les célébrités pourries gâtées qui se sentaient le droit d'agir comme bon leur semblait.

– Pardon ? gémit Mara. Tu m'as traitée de quoi ?

– Oh hé, du calme ! dit Ryan, se levant et se plaçant, les bras tendus, entre les deux filles remontées à bloc.

– Mara, Eliza n'avait pas l'intention de dire ça.

– Tais-toi, Ryan ! s'exclama Mara en le foudroyant du regard. On t'a demandé ton avis ?

Pas étonnant que Ryan se range du côté d'Eliza. N'aurait-il pas pu, pour une fois, prendre son parti à elle ? Il trouvait toujours des excuses à Eliza. Même l'été dernier, quand elle avait rencontré Eliza et que celle-ci s'était comportée comme une sorcière, Ryan lui avait dit de ne pas lui en vouloir – sa famille, avait-il précisé, connaissait des « moments difficiles ». Comme si Mara ignorait ce que c'était que de traverser une sale passe !

Pendant ce temps, Eliza remarqua que Garrett, appuyé sur sa chaise et le sourire aux lèvres, semblait se délecter du spectacle. Sans doute songeait-il qu'avec un peu de chance, elles en viendraient aux mains et se rouleraient sur le sol en se tirant les cheveux. Eliza était horripilée. Pour la première fois, elle se demanda ce que Mara voyait en lui, en dehors de tout son argent.

– Mara, calme-toi, dit Eliza. Tu es soûle.

Cela ne fit que ranimer la colère de Mara. Comment ça, alors qu'il n'y avait pas pire éponge qu'Eliza ? Cette fille carburait littéralement à la vodka.

– Euh... je suis désolée, mais c'est une boîte de nuit ici !

157

hurla Mara, ivre et agressive. Tu es jalouse parce que je suis dans la salle VIP alors que toi, tu es ici pour bosser !

Ces paroles firent à Eliza l'effet d'une claque.

– Arrête de te comporter comme une garce !

– Moi, je suis une garce ? C'est toi qui t'es comportée bizarrement tout l'été, répliqua Mara, consciente que c'était vrai.

Eliza l'avait snobée toutes ces semaines, et s'était montrée très peu loquace chaque fois qu'elles avaient traîné ensemble.

Elles se fusillaient des yeux. L'année dernière, elles avaient mis du temps à s'entendre et s'étaient pas mal chamaillées. Mais cette fois-ci, c'était bien pire.

– Oh, mon Dieu, je ne me sens pas bien ! dit Mara en plaquant une main sur sa bouche et une autre sur son ventre.

Et alors, se penchant en avant, elle vomit sur les nouveaux escarpins Marc Jacobs d'Eliza.

Avant de perdre connaissance, la dernière chose qu'elle vit fut le visage de Ryan, empreint d'une expression de profond dégoût.

# On n'oublie jamais son premier amour

Le Septième Cercle fermait à cinq heures du matin. Après avoir passé son badge devant la pointeuse, Eliza traversa la boîte déserte jusqu'aux salles du personnel situées au fond du bâtiment. La dispute avec Mara l'avait terriblement contrariée. Non seulement ses patrons lui avaient hurlé dessus car l'inspecteur sanitaire avait été à un cheveu de voir Mara danser sur la table, mais ses nouvelles chaussures étaient fichues. Et, contrairement à Mara, elle n'avait pas plusieurs paires gratuites qui l'attendaient chez elle. Elle était épuisée, découragée et un peu amère. Comment se pouvait-il qu'elle, Eliza Thompson, qui avait autrefois sévi dans toutes les boîtes de Manhattan, finisse désormais ses soirées sobre, les pieds couverts de vomi ?

Elle retira les escarpins en daim souillés et enfila des tongs et un large sweat-shirt Princeton aussi long que sa jupe. Des employés nettoyaient le bar à grande eau et le gardien de nuit venait d'arriver pour ramasser les poubelles. Eliza dit au revoir à Milly, la préposée au vestiaire, et partagea ses pourboires avec les trois autres serveuses. La soirée avait été plutôt rentable car Eliza avait décidé que les noms pouvaient apparaître sur la liste comme par magie, grâce à un bakchich de

159

cent dollars. Il fallait bien qu'elle améliore, d'une façon ou d'une autre, son maigre salaire.

– Tu es encore là ? demanda-t-elle en voyant Ryan, assis seul au bar.

Il hocha la tête.

– Comment ça, encore ? Je passe ma vie ici, plaisanta-t-il. Non. Je t'attendais. Je voulais te raccompagner chez toi, pour qu'il ne t'arrive rien.

– C'est gentil, dit-elle.

Elle était contente qu'ils s'entendent toujours aussi bien, et que leur amitié ait résisté.

– Tu bois quelque chose ? proposa Ryan. Un verre te ferait du bien, on dirait.

– C'est moi qui travaille ici, tu te souviens. Eh, Johnnie ? On pourrait en avoir un dernier pour la route ?

L'employé hocha la tête et leur servit deux verres de whisky.

– Pas pour moi, merci, dit Ryan.

– Bon... dans ce cas je vais boire les deux ! Ce serait dommage de le gâcher.

Eliza sourit et sirota son whisky.

– Nom de Dieu, qu'est-ce qui a pris à Mara, ce soir ? demanda-t-elle.

– Je n'en ai aucune idée, répondit Ryan en tapotant du poing sur le comptoir.

– Moi non plus.

Eliza leva son verre comme pour trinquer.

– Je vais te raccompagner chez toi, déclara-t-il, lorsqu'elle eut vidé son second verre.

– Mais... et ma voiture ?

Eliza désigna la berline garée sur le parking.

– Demain, je demanderai à Laurie d'envoyer quelqu'un la chercher, dit Ryan.


Sur le trajet, capote baissée, jusqu'à la maison des Thompson, Eliza raconta que son job au Septième Cercle était tout le contraire de ce qu'elle avait imaginé. Elle extirpa une cigarette du paquet de Ryan, et l'alluma.

– Tu en veux une ?

Ryan secoua la tête, avant de changer d'avis. Eliza l'aida à allumer la cigarette, en arrondissant les mains pour empêcher la flamme de s'éteindre.

– Merci, marmonna Ryan en rejoignant l'autoroute.

Eliza exhala une énorme bouffée.

– Et Jeremy ne m'a pas appelée une seule fois en deux semaines, se lamenta-t-elle. Je ne sais absolument pas où on en est, tous les deux. Il me dit qu'il n'a pas cessé de penser à moi cette année, et voilà qu'il disparaît de la surface de la terre !

Ryan hocha la tête, l'air compatissant. Eliza posa ses pieds nus sur le tableau de bord. Il y avait longtemps qu'elle ne s'était pas sentie aussi bien, aussi détendue.

– Et entre toi et Allison, il se passe quoi ?

– Pas grand-chose. Je crois qu'elle craque pour moi. Mais on est amis, rien de plus.

– Mec, elles craquent toutes pour toi. Rien de nouveau sous le soleil.

Il éclata de rire et tapota sa cigarette. Le vent emporta la cendre.

– Si seulement c'était vrai !

– Mara et Garrett ont l'air plutôt intimes, non ? fit remarquer Eliza, sans aucune méchanceté, sur le ton d'une simple observation. Ils passent quasiment toutes leurs soirées ensemble, à la boîte.

– On dirait, approuva Ryan avec un hochement d'épaules. Elle a changé.

Lorsqu'ils arrivèrent devant la maison d'Eliza, elle hésita avant de sortir de la voiture.

– Tu veux peut-être entrer un petit moment ? Je suis hyperstressée et je sais que je ne parviendrai pas à m'endormir avant longtemps. On pourrait mater *Le Parrain II*...

– OK, dit Ryan.

Lui non plus ne semblait pas avoir hâte de se retrouver seul.

Ryan s'enfonça dans le divan. Eliza sortit de la cuisine sur la pointe des pieds, tenant un bol de pop-corn chauffé au micro-ondes et deux Coca light. Ça lui paraissait si naturel, de traîner avec Ryan. Il avait toujours fait partie de son existence. Elle se souvenait que quand ils étaient gosses leurs deux familles passaient leurs vacances de Noël ensemble, aux Bahamas. Et que c'est encore ensemble qu'ils avaient appris à faire du ski, sur les pistes d'Aspen. Eliza se rappelait que la mère de Ryan avait coutume de dire qu'ils feraient un beau couple, elle et Ryan, une fois grands. En ce temps-là, Sugar et Poppy s'appelaient encore Susan et Priscilla, et suivaient Eliza comme des petits chiens, se disputant l'honneur de lui brosser les cheveux, ou de s'asseoir à côté d'elle dans le télésiège. Les jumelles avaient changé, pour sûr. Ryan, quant à lui, était toujours le même... Il était toujours là, tout près d'elle.

À l'écran, Robert de Niro était en train de passer des mecs à tabac. Eliza s'assit et posa la tête sur l'épaule de Ryan. Mais lorsqu'il se pencha pour lui dire quelque chose, leurs lèvres se joignirent. Eliza n'avait pas voulu que cela arrive. Or, au lieu de se dégager, elle lui rendit son baiser. Il releva le sweat-shirt d'Eliza, entreprit de déboutonner son chemisier, et embrassa chaque centimètre carré de sa peau.

Elle se répétait qu'il ne fallait pas... qu'elle devait l'arrêter. Mais c'était tellement... agréable. C'était comme à Palm Beach, la situation était la même... Deux cœurs brisés se réconfortant mutuellement. Ils se faisaient du bien, rien de plus. Ça ne signifiait rien, se répétait-elle.

Puis elle cessa de réfléchir car Ryan s'était remis à l'embrasser... Et toutes les inquiétudes d'Eliza, tous ses doutes quant à l'avenir de leur relation (inexistant, selon elle) et ses conséquences (nulles, espérait-elle) se dissipèrent sous les baisers délicieusement pressants de Ryan.

# Décidément, le docteur craint un max !

– Et Mara, elle est où ? demanda Zoé, quand Jacqui vint préparer les gamins à sortir, le lendemain matin.

– Elle est malade, dit-elle sombrement, en aidant la fillette à nouer la ceinture de son peignoir. Aujourd'hui, il n'y aura que moi, d'accord ?

C'est sûr, Mara avait vraiment une mine de déterrée. Une fois de plus, elle n'était pas parvenue à se réveiller et, lorsque Jacqui l'avait secouée, elle avait marmonné quelque chose au sujet d'une gueule de bois d'enfer, ce qui commençait à devenir une habitude. Philippe était à nouveau sorti faire une course pour Anna. Mara et Jacqui avaient convenu que, Jacqui s'étant occupée des enfants la veille, Mara s'en chargerait aujourd'hui, afin de permettre à Jacqui de réviser ses cours. Mais évidemment, Mara l'avait encore plantée.

– Où est Philippe ? Où est Philippe ? demanda William, chaussant ses baskets à roulettes.

Jacqui détestait la personne qui avait inventé ces sacrés machins. À cause d'eux, William, se déplaçant deux fois plus rapidement, était deux fois plus difficile à attraper.

– Je ne sais pas trop, répondit Jacqui. Je crois que votre

maman avait besoin qu'il fasse quelque chose pour elle en ville.

Laurie lui avait expliqué qu'Anna souhaitait qu'il relise des documents français qu'elle avait fait traduire. Ça paraissait vraiment louche. Depuis qu'elle avait accepté l'ultimatum d'Anna, Jacqui s'était efforcée d'éviter Philippe afin de respecter son engagement. Ce qui était loin d'être simple puisque, chaque fois qu'il la surprenait seule dans la maison, il désirait savoir quand il pourrait la revoir. Il l'accusa même d'être une allumeuse, ce qui était tout de même un comble !

– *Je te l'ai déjà dit, c'est pas ma maman !* hurla William, lui perçant les tympans.

– Très bien, très bien. Calme-toi s'il te plaît ! *Merda !* s'exclama-t-elle.

Elle venait de réaliser qu'elle n'avait pas pensé à mettre une couche-culotte de bain à Cody. Celle qu'il portait n'était pas étanche.

– Madison, tu nous accompagnes aujourd'hui ? demanda Jacqui.

Tout au long du mois, Madison s'était montrée hautaine avec le groupe des baby-sitters puisque, officiellement, ils n'étaient plus chargés de veiller sur elle.

– Oui. J'ai rendez-vous avec une amie là-bas.

Elle était drôlement élégante, avec son maillot de bain rose et son tee-shirt en éponge. Devant le miroir, elle s'appliquait une dernière couche de mascara.

– Tu te maquilles un peu trop pour aller à la plage, tu ne crois pas ?

– Et ton maillot de bain est limite indécent. Tu ne crois

pas ? rétorqua Madison en se passant sur les lèvres du gloss rouge foncé.

Jacqui se sentit blessée. Elle avait eu un bon contact avec Madison l'été dernier. Or, la gamine était devenue une vraie peste. Et sa belle-mère n'avait pas l'air de se soucier que la gamine de onze ans se promène attifée comme une petite aguicheuse.

– C'est simplement qu'il fait très chaud sur la plage, et que ce n'est pas bon pour la peau, expliqua Jacqui d'un ton patient.

– Je m'en fiche, rétorqua Madison.

Jacqui plia la poussette de Cody. Elle était désormais beaucoup trop petite pour lui. Ses jambes lui arrivaient quasiment au menton lorsqu'il s'y asseyait. Le « bébé », bien qu'âgé de quatre ans, préférait rouler plutôt que marcher. Hier encore, alors qu'elle le promenait dans la rue principale, des femmes lui avaient demandé si son garçon était « spécial » (c'est-à-dire, handicapé).

– Non, simplement paresseux ! avait-elle répondu gaiement.

Car Anna avait beau porter une attention extrême à leur régime, à leur orientation scolaire et à leur vie spirituelle, Jacqui n'avait jamais vu des gamins à qui l'essentiel manquait à ce point-là.

Alors qu'elle conduisait son troupeau vers le garage, ils croisèrent le Dr Abraham, qui sortait d'une des luxueuses chambres d'amis en mâchouillant une banane.

– Alors comme ça, on va passer la journée à la plage ? Attendez-moi ! dit-il.

Jacqui n'avait pas eu le temps de protester qu'il ressortait déjà de sa chambre, son sac de plage sous le bras.

166

– On dirait que je vous ai pour moi tout seul ! plaisanta le Dr Abraham, en constatant que Mara et Philippe n'étaient pas dans les parages.

– Faudrait peut-être pas oublier les gamins, rétorqua Jacqui.

La seule voiture était la minuscule Toyota Prius et, entre le siège bébé de Cody et la forte corpulence du docteur, y caser tout le monde ne fut pas évident. Jacqui les conduisit à la plage toute proche de Georgica, où les gamins se dispersèrent : Madison se lança à la recherche de ses amis, William parcourut le chemin de planches de long en large, et Zoé alla ramasser des coquillages.

– Ne vous éloignez pas trop ! Il faut que je puisse vous voir ! cria Jacqui en plantant son parasol et en étalant son drap de bain.

Elle plaqua ses cheveux en arrière grâce au foulard Pucci prêté par Mara puis fit glisser sa robe de plage en faisant mine d'ignorer les regards du docteur. Elle espérait qu'il finirait par piger et la laisserait tranquille.

Le livre de préparation à l'examen d'entrée à la fac exigeait pas mal d'attention – la partie linguistique de l'examen avait été abordée la semaine dernière, le jour où elle avait séché son cours pour jouer au billard avec Philippe. Jacqui n'arrivait pas à saisir les questions de vocabulaire, du type :

Le rocher est à la montagne ce que la plume est :

a) à l'aile,

b) au poulet,

c) à l'oreiller,

d) aux quatre propositions sus-mentionnées.

En portugais, le même terme désignait le « rocher » et la « base », ainsi que le « sol ». Dans ce cas, la réponse pouvait être a), puisque les ailes étaient constituées de plumes. Mais les plumes servaient également de base à la fabrication des oreillers, auquel cas la bonne réponse était c). Tout cela était drôlement compliqué.

– Tu parles d'un bouquin barbant ! dit une voix, au-dessus d'elle.

Jacqui releva le bord souple de son panama et sourit.

– Hé Kit. Tu vas bien ?

– Ouais. Juste un peu contrarié que t'aies pas appelé à la seconde où t'es arrivée ici, mais j'ai survécu, la taquina Kit en s'asseyant près d'elle.

Il avait des cheveux blonds en brosse, et le teint si pâle que son nez pelait déjà. C'était l'un des meilleurs amis d'Eliza, et Jacqui avait appris à mieux le connaître à Palm Beach. Elle savait que Kit avait un faible pour elle, mais elle préférait faire comme si de rien n'était. Kit lui plaisait, mais pas de cette façon-là. Et puis il y avait la règle d'or : *Fini les garçons !* Puisqu'elle était forcée de l'appliquer à Philippe, il faudrait bien qu'elle l'applique également à Kit.

– Je suis désolée. On a été tellement débordés, avec les gamins… J'ai pas pris un seul jour de congé, expliqua Jacqui.

– C'est qui, ce naze ? demanda Kit, faisant allusion au docteur, qui ronflait sous une édition de poche de *La Famille d'abord !* du Dr Phil McGraw.

– Un *falsificação*… un docteur bidon, dit Jacqui, ne trouvant pas le mot qu'elle cherchait.

– Un charlatan ?

– C'est ça ! (Elle se pencha vers Kit.) Je peux pas l'encadrer !

Kit hocha la tête.

– Pourquoi ne pas le semer ? dit-il sur un ton de conspirateur.

– C'est quoi, ton idée ? demanda Jacqui, haussant ses sourcils parfaitement épilés.

# Mara serait-elle la nouvelle Tara Reid ?

Mara ne se souvenait pas de ce qui s'était passé la veille. Elle s'était réveillée avec un horrible mal de tête, et avait si soif qu'elle alla à la salle de bains et but directement au robinet. Ces derniers temps, Mara se réveillait souvent dans cet état. Il était presque midi et, comme d'habitude, Jacqui et les enfants étaient déjà partis. Elle prit une longue douche, se sécha les cheveux, enfila sa tenue la plus pratique – un surmaillot à capuche et fermeture éclair – et dissimula ses cernes sous de superbes lunettes d'aviateur Oliver Peoples, articles qui, grâce au plan Mitzi, ne lui avaient rien coûté.

Elle se dirigea vers la maison principale. Au passage, elle remarqua sur le château des Reynolds le dernier ajout en date : deux statues géantes – des chevaliers en armure flanquant l'entrée de part et d'autre. Elle alla à la cuisine et se prépara un smoothie. Elle rinçait le mixeur quand le *Post* retint son attention. Elle feuilleta le journal, allant droit à sa rubrique favorite : la page 6. C'est alors qu'elle la vit.

– Oh mon Dieu !

Elle plaqua une main sur sa joue et jeta autour d'elle des coups d'œil nerveux. Regarda à nouveau la photo. *Oh mon Dieu !* Des images de la veille l'assaillirent soudain, amplifiant son mal de crâne. Elle dansait sur la table. Hurlait sur Ryan. Traitait Eliza de garce. Mais, pire encore... cette photo épouvantable, là, dans le journal !

Elle qui pensait que Lucky Yap était son ami ! Tu parles d'un ami ! La photo prise la veille au soir s'étalait au beau milieu de la page 6, au-dessous du gros titre « LA NOUVELLE TARA REID ? ». Mara Waters, la gentille fille de Sturbridge (du moins, c'est ainsi qu'elle s'était toujours vue), se penchait vers Garrett qui avait le nez fourré dans son décolleté, tandis que ses seins jaillissaient hors de son bustier Gucci. Nom de Dieu, un mamelon s'en était même échappé et, rose et effronté, s'exhibait fièrement à la face du monde !

Dire qu'elle était mortifiée ne suffirait pas à décrire ce que Mara ressentit ce matin-là. Perdre les pédales un soir, c'était une chose. Voir ce faux pas rendu public dès le lendemain, c'en était une autre. Elle se hâta de fourrer le journal à la poubelle, en espérant que personne ne le trouverait. Surtout pas Ryan. C'était si humiliant. *La nouvelle Tara Reid* ? Tara Reid elle-même ne voulait pas avoir la réputation de Tara Reid.

Mara rougit. Elle avait toujours eu le sentiment, au plus profond d'elle-même, de ne rien avoir à envier aux Perry. Car ils avaient beau être richissimes et vivre une existence de luxe, elle possédait quelque chose qu'ils n'avaient pas : une famille forte et unie ; des parents qui avaient su inculquer à leurs trois filles des valeurs essentielles, telles l'intégrité, la sincérité et la respectabilité. Or, avec la publication de ce cliché, que lui restait-il ? Sugar et Poppy elles-mêmes n'avaient jamais été surprises dans une situation aussi compromettante. Le scandale avait bien failli éclater lorsque l'ex-petit copain de Sugar avait tenté de diffuser la vidéo montrant

171

leurs ébats torrides. Mais le cabinet d'avocats de son père et un bon graissage de patte avaient résolu le problème. Mara s'était trompée sur son propre compte. Peut-être, comme tous ces gens qui fréquentaient les Hamptons, était-elle prête à tout pour attirer l'attention et se faire connaître ?

– Mara, je vous parle ! Il y a quelqu'un qui vous demande à la porte, dit Laurie en entrant dans la cuisine.

Mara se figea, redoutant encore Dieu sait quoi. Elle n'attendait personne. La photo pouvait-elle constituer une atteinte aux bonnes mœurs ? La police du mamelon venait-elle la chercher ? Mais lorsqu'elle ouvrit la porte, un simple messager en uniforme marron se tenait sur le seuil.

– Signez ici ! indiqua-t-il en lui fourrant sous le nez une écritoire à pince.

Elle griffonna son nom, et il lui fourra plusieurs énormes sacs dans les bras, contenant encore trois merveilleuses robes Shoshanna, et une sélection de cardigans en cachemire aux couleurs pastel. Mara découvrit une note écrite à la main sur du papier coûteux : *Excellent article dans le* Post *! Continue comme ça. Bises. Mitzi.*

Mamelon mis à part, Mara comprit qu'aux yeux de Mitzi, la photo était un succès. L'article de la page 6 citait toutes les marques que portait Mara.

À l'instant où elle rassemblait ses sacs, elle vit Ryan se garer dans l'allée. Elle s'arrêta, comme pétrifiée. Il sortit de la voiture et s'avança vers elle, les yeux cernés et les mêmes vêtements que la veille sur le dos. Malgré elle, Mara eut un serrement au cœur.

– Oh... euh... salut Mara, bafouilla Ryan en devenant écarlate.

– Salut, marmonna-t-elle avec un signe de tête.

Il avait passé la nuit avec une fille. Ça se voyait comme le nez au milieu de la figure. Mara était malade de jalousie. À ce qu'il semblait, Ryan ne serait jamais en manque de petites amies. Et pire encore : elle ne pourrait plus jamais en être.

# Le bonheur,
## c'est une voile gonflée à bloc

Connaître Kit Ashleigh présentait beaucoup d'avantages. Il avait le sens de l'humour, était loyal envers ses amis et collectionnait les gadgets hors de prix. Mais sa qualité essentielle, c'était de savoir s'amuser, et ce, n'importe où. Il se montra d'une efficacité redoutable lorsqu'il fut question de réunir les enfants : il promit à William qu'il pourrait barrer le voilier, autorisa Madison à emmener son amie, raconta à Zoé qu'ils verraient des dauphins, et porta Cody jusqu'à la voiture. Tous s'entassèrent dans sa Mercedes-Benz CLK décapotable (Jacqui avait laissé les clés de la Toyota sous l'huile solaire du docteur), et Kit les conduisit à Sag Harbor, où son bateau était à quai.

– C'est une coquille de noix, dit Kit à propos du *Poisson-lune*, mais il y a de la place pour nous tous, et on pourra peut-être apprendre à naviguer aux gamins. Mon père m'a appris quand j'étais tout gosse.

– C'est ça ? demanda William, guère impressionné par le **voilier** de huit mètres. Celui de mon père est... au moins trois fois plus grand !

– La taille ne fait pas tout, mon ami, répliqua Kit.

Il déroula les voiles et défit les cordages.

– Allez, donnez-moi un coup de main. Toi aussi, Madison. Et Zoé... vous pouvez tous vous rendre utiles.

Avec Kit pour diriger les opérations, ils parvinrent à appareiller. Puis Kit prit la barre et les emmena au dock du Bistro JLX, un restaurant français branché situé au bord de l'eau. Un serveur se présenta au bateau pour prendre leur commande et, quelques minutes plus tard, leur tendit par-dessus le garde-fou plusieurs sacs pleins à craquer de fromage, de sandwichs au jambon fumé, de salades tomates-mozzarella, de bouteilles d'eau gazeuse et de cidre.

Cela ne manqua pas d'impressionner Jacqui. Kit dirigea à nouveau le bateau vers le large.

– On ne peut pas aller plus vite ? gémit William.

– Regarde, je vais te montrer comment faire, dit Kit en s'élançant hors de la cabine.

Ils trouvèrent le vent, et tous se turent. La mer était calme et lisse, le voilier se balançait délicatement au gré des vagues. C'était à la fois relaxant et excitant. Jacqui déballa le déjeuner et distribua les sandwichs.

– C'est trop nul ! se plaignit Angelica, la copine de Madison. On aurait dû rester à Georgica. Ces types hyper-mignons que connaît mon cousin étaient censés venir aujourd'hui.

Madison, qui semblait jusque-là apprécier la balade, s'empressa de se mettre au diapason.

– Tu ne vas quand même pas manger ça ? demanda Angelica, tandis que Madison faisait glisser dans son assiette une rondelle de tomate et une tranche de mozzarella.

Madison se hâta de les remettre dans la barquette.

Jacqui assista silencieusement à la scène. Elle aurait voulu pouvoir dire à Madison que les filles comme Angelica, trop

175

minces et trop privilégiées, dissimulaient leur propre manque d'assurance en se moquant de tout le monde. Mais, consciente qu'elle ne ferait qu'embarrasser la fillette, elle préféra se taire.

Au lieu de ça, Jacqui amassa dans son assiette une quantité de fromage, de salami, de pain et de légumes au vinaigre et s'appliqua à ne pas en laisser une miette – sous le regard fasciné des deux préadolescentes, qui n'arrivaient pas à croire qu'on puisse autant manger tout en ayant le physique de Jacqui.

Angelica avait tenté de se rendre aimable en flattant Jacqui. Comme ça n'avait pas marché, elle s'était mise à l'appeler « la fille au pair » d'une voix snobinarde. Jacqui respira quand les deux fillettes se résolurent à tirer le meilleur parti de leur journée en se livrant, sur le pont, à une séance silencieuse de bronzage.

Jacqui regarda autour d'elle. Les gamins qui s'amusaient, l'eau étincelante, le soleil aveuglant... Elle renversa la tête en arrière, sentit le vent s'engouffrer dans ses cheveux. Elle était heureuse d'avoir un ami tel que Kit.

# Il est tellement plus facile de mentir au téléphone

Eliza tamponna son cou d'une nouvelle couche de fond de teint compact. Les suçons de Ryan avaient fleuri pendant la nuit. Eliza semblait rescapée d'un champ de bataille, avec ces traces jaune et violet s'étalant partout sur son décolleté et dans son cou. C'était drôlement embêtant. Elle ne pouvait tout de même pas aller travailler avec cette allure de femme battue. D'où le fond de teint compact Bobbi Brown. Dieu merci, on avait inventé le maquillage parfait !

Évidemment c'était un peu bizarre... être de nouveau sortie avec Ryan... Et Jeremy dans tout ça ? Devait-elle se considérer comme « infidèle » ? Étaient-ils seulement encore ensemble ? Eliza était confuse, et un peu triste. Et avec Ryan... ça voulait dire quoi, au juste ? Elle n'était pas amoureuse de Ryan, tout de même ? Ryan était... un ami. Non, plus que cela... c'était un frère... enfin, pas tout à fait.

Ce matin-là, il l'avait réveillée et portée jusque dans son lit.

– Il faut que j'y aille. Je suis pas certain que tes parents apprécieraient de nous trouver dans le salon, chuchota-t-il en frôlant son nez d'un baiser.

– OK, approuva-t-elle d'une voix ensommeillée.

– À plus tard, dit-il en la bordant.

Eliza sourit à ce souvenir, et achevait de cacher un suçon avec un soupçon de correcteur de teint vert lorsque le téléphone sonna.

– Salut Liza, c'est moi.

– Oh ! dit-elle, sa main tenant le fond de teint compact restant figée à mi-hauteur.

Mara. Merde ! Ryan lui avait-il dit quelque chose ?

– Écoute..., commença Mara.

Eliza retint son souffle.

– Je suis vraiment, vraiment, désolée pour hier soir, continua Mara. Je ne sais pas ce qui m'a pris. J'ai jamais été aussi soûle de ma vie.

– Oh. C'est pas grave. Ne t'inquiète pas !

– Je tiens à ce que tu saches que je ne ferais jamais rien qui puisse te causer des ennuis. Je sais ce que ce job signifie pour toi.

– Je t'assure, tu n'as pas de souci à te faire.

Elle ne souhaitait qu'une chose : raccrocher. Mara était tellement gentille, ça rendait les choses encore plus difficiles. Mieux aurait valu que Mara soit une authentique garce, mais ce n'était pas le cas.

– En tout cas, j'ai vraiment honte, insista Mara. Et devant Ryan, en plus !

– Mara... faut que j'y aille ! l'interrompit Eliza.

Ryan et elle avaient beau être d'accord pour considérer que l'épisode de la veille au soir ne comptait pas davantage que celui de Palm Beach et qu'il n'y avait rien entre eux, Eliza ne s'en sentait pas moins affreusement coupable. Le fait de savoir que Mara sortait désormais avec Garrett Reynolds n'atténuait pas sa mauvaise conscience.

– Oh... très bien. On pourrait peut-être prendre un café cette semaine, ou un truc dans le genre ? demanda Mara d'une voix mal assurée.

– Ouais. Je t'appellerai, OK ? rétorqua Eliza.

– OK, répondit Mara.

Mais Eliza avait déjà pressé la touche « fin de communication ».

Dans la cuisine, Mara raccrocha le téléphone. Elle avait le cafard. Eliza lui en voulait toujours à mort, c'était clair. Elle ouvrit la porte-fenêtre donnant sur le patio et s'étonna de voir Philippe prendre un bain de soleil au milieu de la piscine, étendu sur un matelas pneumatique, sa sempiternelle cigarette au bec. Elle croyait qu'il était parti en ville. Bien qu'il fût censé faire partie du groupe des baby-sitters, elle le croisait rarement depuis qu'il avait été transféré dans la demeure principale.

– Ta sœur a appelé, dit-il en tapotant sa cigarette au-dessus de l'eau.

– Laquelle de mes sœurs ?

Philippe haussa les épaules.

C'était sûrement Megan. Avec ses trois gamins, Maureen devait être trop débordée pour pouvoir passer un coup de fil. Mara se demanda pourquoi Megan ne l'avait pas appelée sur son portable – cela dit, elle ne captait pas très bien, dans les Hamptons. Mara retourna à la cuisine et composa le numéro de travail de Megan.

– Allô Meg ? C'est moi ! annonça-t-elle.

– Mara ! La star de Sturbridge ! répliqua joyeusement sa sœur à l'autre bout du fil.

179

– Oh mon Dieu... Tu as vu la photo ? dans le *Post* ?

– Bien sûr que je l'ai vue. Ohé, Mara, c'est à ta sœur que tu parles ! Je t'ai aussi vue dans *US Weekly*, l'autre jour. Tu es plus mignonne sur la page 6, bien que le cliché soit un peu osé, dit Megan sur un ton de spécialiste.

Mara distinguait, en arrière-fond sonore, un bruit de séchoirs et de ciseaux qui claquent.

– Tu m'as vraiment trouvée mignonne ? Et papa et maman, ils l'ont vue aussi ? demanda Mara, en jetant un coup d'œil par la fenêtre.

Philippe se prélassait toujours dans la piscine. Anna Perry apparut dans le patio, en bikini blanc et chaussures à talons transparentes. Elle entra prudemment dans l'eau, et Philippe l'aida à s'installer sur un matelas pneumatique semblable au sien. Ils se laissèrent glisser jusqu'à l'autre bout du bassin, où l'eau ruisselait en cascade dans un jacuzzi.

– Tu m'écoutes, Mara ?

– Oui, euh, non... je suis désolée. Tu disais ?

– J'étais en train de te dire que j'avais planqué le journal. S'ils l'avaient vu, tu pouvais faire tes bagages ! Tu connais papa...

– Merci. Je te revaudrai ça.

– Tu crois pas si bien dire ! J'ai décidé de venir te rendre visite dans deux semaines. Je veux voir où ma petite sœur passe son temps !

– C'est une idée géniale ! répliqua Mara.

– Je sais. Donc je n'ai pas attendu que tu m'invites, dit Megan.

– Qu'est-ce que tu racontes ? Tu sais que tu es toujours la bienvenue, protesta Mara.

– C'est pourquoi j'ai décidé de venir. Bon, faut que je te quitte. J'étais censée faire un rinçage de dix minutes à Mme Norman. Maintenant elle va avoir les cheveux bleus... On se voit bientôt !

Mara raccrocha, ragaillardie. Megan, sa sœur préférée, allait venir lui rendre visite ! Ce serait extra de pouvoir passer du temps avec elle. Et de faire des trucs normaux, comme aller manger des hamburgers chez O'Malley, à East Hampton ou, pourquoi pas, se faire cuire un homard sur la plage. Mara avait besoin d'un petit break, et il n'y avait rien de tel que la famille pour vous remettre les pieds sur terre.

# Garrett ramène une prise

Les riches étaient différents, Mara l'avait compris dès l'été dernier, lorsqu'elle avait rencontré les sœurs Perry, toujours prêtes à dépenser huit cents dollars pour une robe griffée mais rechignant à payer leurs propres consommations. Ou Ryan Perry, qui roulait dans une voiture de sport anglaise conçue tout exprès pour lui, mais utilisait du carburant sans plomb pour économiser quelques dollars. Seule une famille comme les Reynolds pouvait se faire construire un bassin d'eau salée – un immense réservoir à poissons où l'on pouvait aussi nager – à moins de dix mètres de l'océan. Garrett invita Mara à venir le voir, car il venait tout juste d'être approvisionné en poissons. Mara entra dans l'eau, tiède et relaxante.

– Encore une ? suggéra Garrett, agitant un pichet de margarita à la mangue.

– J'en ai déjà bu deux, dit Mara, repoussant la proposition d'un geste. Je devrais peut-être me calmer un peu. Ma sœur arrive bientôt, et j'ai pas envie qu'elle pense que...

– ... qu'elle pense quoi ? demanda-t-il.

Il but directement au pichet puis, d'une main, s'essuya les lèvres. C'était une belle soirée, on entendait le chant des grillons.

– Je sais pas... j'ai pas envie qu'elle pense que je suis une fêtarde ou un truc dans ce goût-là. J'ai quand même un boulot, lui rappela-t-elle. T'imagines, si les gamins me voient sur la page 6 ? dit-elle d'une voix horrifiée.

– Tu sais quoi ? Tu devrais pas t'angoisser pour ça. C'est juste une photo dans un journal. Tu sais ce que les gens en font, des journaux ? demanda Garrett en agitant le pichet, ce qui fit jaillir une partie de son contenu dans le bassin.

Mara secoua la tête. L'alcool ne risquait-il pas d'empoisonner les poissons ?

– Ils les jettent à la fin de la journée, poursuivit Garrett. À Londres, ils enveloppent les frites avec, pour qu'ils absorbent l'huile !

Il éclata de rire, posa le pichet au bord du bassin. Il nagea vers elle, et s'amusa à l'éclabousser.

– Je t'aime bien, Mara. Je te trouve marrante. Reste-le !

Mara sentit la joie l'envahir. Il l'aimait bien. Il venait de le dire. Avec ses cheveux mouillés, il était si beau, on aurait dit un animal marin, sombre et souple. Il lui sourit et elle caressa son visage. Lui, au moins, ne la jugeait pas. Contrairement à Ryan Perry, qui la prenait sans doute pour la pire pochtronne des Hamptons. Garrett la trouvait marrante.

Un banc de poissons-clowns orange et blanc fila, telle une flèche, vers le corail voisin. Mara se resservit un verre. C'était exquis. Et puis, si Megan tenait à venir, n'était-ce pas pour jouir du glamour des Hamptons ? Qui préférerait manger des sandwichs au homard à la plage de Montauk plutôt que passer ses soirées dans la salle VIP du Septième Cercle, entouré de stars de ciné ?

Garrett lui balança des lunettes de plongée, un tuba, et

actionna l'éclairage subaquatique. Mara plongea la tête sous l'eau, et regarda autour d'elle. L'eau était bleu ciel, claire comme le jour, et peuplée de créatures marines de toutes les tailles, de toutes les formes et de toutes les couleurs. Il y avait des tortues de mer, des murènes, des poissons-zèbres sobres mais superbes, des poissons-anges, des poissons arc-en-ciel, et des empereurs à nageoire bleue.

Elle émergea, et extirpa le tuba de sa bouche.

– C'est magique, dit-elle.

– Pourquoi aller à St Barth, quand on peut faire venir St Barth chez soi ? demanda Garrett en ajustant ses lunettes de plongée. C'est l'inconvénient des Hamptons. Il n'y a pas de bon endroit où faire de la plongée.

Un banc de raies pastenagues leur frôla les genoux. Mara les suivit des yeux, émerveillée par leur grâce, tandis qu'elles ondulaient vers le corail.

Garrett lui prit la main et ils traversèrent le bassin à la nage. Il lui désigna des méduses translucides et de frémissantes étoiles de mer. Puis il se dirigea vers une grotte artificielle située au centre du bassin, et fit signe à Mara de le suivre.

Prenant soin de maintenir son cocktail hors de l'eau, Mara baissa la tête et entra dans la grotte. Elle s'était imaginé que les Perry vivaient dans le luxe, mais là, c'était une tout autre conception du luxe... La demeure des Reynolds était un croisement improbable entre le château de Versailles et Marineland.

– C'est l'endroit que je préfère, dit Garrett, en l'attirant vers lui. Tu es déjà allée à Capri ?

Mara secoua la tête. À l'exception des Hamptons, elle n'était, pour ainsi dire, jamais allée nulle part.

Il enlaça sa taille et la serra contre lui.

– Un jour, je t'y emmènerai, lui chuchota-t-il à l'oreille.

Mara sourit. L'idée lui plaisait. Elle se demanda ce que Ryan était en train de faire, à cet instant précis. Et balaya aussitôt cette pensée de son esprit.

Dans la pénombre de la grotte, les cheveux de Garrett avaient des reflets d'un noir bleuté, et ses yeux brillaient de malice.

– Je parie que je garde la tête sous l'eau plus longtemps que toi !

– Ah ouais ? Je relève le pari ! rétorqua Mara.

Mara se pencha en emplissant ses poumons d'air, décidée à lui donner tort. Garrett prit la main de Mara, et tous deux s'enfoncèrent dans l'eau au même moment. Et il l'embrassa. Elle sentit le souffle de Garrett, le goût salé, la tiédeur mouillée... et s'abandonna aux sensations nouvelles et électrisantes que ses caresses lui procuraient. Elle qui pensait, depuis déjà si longtemps, que seul Ryan pouvait lui faire éprouver cela...

# Deux demi-amoureux valent-ils un amoureux entier ?

Chaque été, aussi loin qu'Eliza s'en souvienne, le Meadow Club de Southampton organisait un tournoi amateur destiné à ses membres. Ce qui avait été au départ une compétition discrète et privée était devenu, au fil des ans, un événement sportif incontournable, qui avait même son sponsor officiel − d'où le surnom de « tournoi Rolex ». Il était susceptible d'attirer des stars du tennis, comme Andy Roddick ou Lindsay Davenport et même d'anciens champions de l'envergure d'Ivan Lendl ou de Pete Sampras. Le prix consistait en un disque d'argent et un chèque de dix mille dollars. Cependant, cet été-là, aucun des joueurs n'était célèbre ou classé au niveau international, à la désolation du club, qui comptait sur la publicité que lui rapportaient les vedettes.

À la fin de la semaine, tout le monde se pressa pour voir la compétition. Et c'est sous les yeux d'une foule fortunée, vêtue de chemises Lacoste et d'imprimés madras, que Philippe commit une double faute face à son adversaire, un Suédois baraqué.

Jacqui était assise au fond des tribunes avec les enfants, qui avaient accepté, en échange d'esquimaux, d'assister au match. Elle savait combien Philippe tenait à remporter le championnat. Or, c'était mal parti. Jacqui remarqua que, dans la tribune d'honneur, Anna suivait elle aussi la partie avec intérêt. Jacqui avait beau savoir qu'il lui fallait garder ses distances avec Philippe, voir Anna le regarder ainsi ne faisait qu'attiser son propre désir. Elle se souvenait encore de ses baisers, sur la table de billard. En dépit de tous ses efforts, elle n'arrivait pas à oublier ce moment.

Sur le court adjacent, Eliza était en train d'égaliser contre la championne de la section sport-études de l'université de Stanford. Elle avait remporté la demi-finale, terrassant son adversaire dans une manche haletante, et n'en revenait pas de se retrouver en finale ! Elle n'aurait jamais cru cela possible. Heureuse d'être enfin le centre d'attention pour la première fois cet été, elle jeta un coup d'œil aux tribunes. Elle croisa le regard de Ryan, assis au premier rang, et lui sourit. Jetant un second coup d'œil, elle aperçut alors Jeremy. Elle loupa son service, et la balle frappa mollement le filet.

Mara était dans une loge, au premier rang, avec Garrett. Juste en face de Ryan, mais elle et Ryan ne se regardaient pas. Sugar et Poppy étaient avec eux, à côté de Mara. Eliza remarqua que les trois filles étaient vêtues de robes pastel identiques. Hallucinant ! L'été dernier, les sœurs Perry savaient à peine que Mara existait.

Eliza s'efforça de se concentrer sur son jeu. On y était : plus qu'un set à jouer. La championne de Stanford envoya une balle très haute au milieu du court, à laquelle Eliza répliqua par un smash puissant. Jeu. Set. Et match. C'est ainsi qu'Eliza remporta la partie.

La championne de la section sport-études donnait des interviews dans les vestiaires, où elle tentait d'expliquer comment une lycéenne avait pu la battre. Eliza entra discrètement, prit une douche en vitesse et passa un caraco Sabbia Rosa et un jean blanc Chloé. Elle s'empressa de regagner le hall, espérant pouvoir éviter sa désagréable adversaire.

– Eh, tu as fait un super match !

Eliza jeta un coup d'œil alentour. Ryan se tenait sous la voûte d'entrée, un bouquet de fleurs à la main.

– Ryan ! Merci ! dit-elle, ravie de le voir. Elles sont pour moi ?

Ryan lui tendit les fleurs et ils s'étreignirent chaleureusement. Il se penchait pour l'embrasser sur la joue lorsqu'elle sentit une autre main lui tapoter l'épaule. Tournant la tête, elle vit Jeremy, qui souriait timidement.

– Eh ! s'exclama Eliza, en se jetant à son cou.

Le visage pressé contre le polo de Jeremy, Eliza rayonnait, oubliant presque qu'il l'avait totalement laissé tomber depuis le dîner avec ses parents. Ryan toussa, et Eliza se rappela ses bonnes manières.

– Jeremy, tu connais Ryan Perry, non ? C'est un vieil ami à moi, expliqua Eliza d'une voix un peu nerveuse.

– Bien sûr, j'ai travaillé pour ta famille, l'été dernier, dit Jeremy en serrant la main de Ryan.

– Tu vas bien, mec ? demanda Ryan.

Ils se serrèrent la main avec un sourire crispé. Ryan affectait une attitude nonchalante, mais Eliza voyait qu'il s'agissait d'une pose.

– Oh, Eliza, je te présente Carolyn, dit Jeremy en se

tournant vers une grande fille aux cheveux auburn, derrière lui. Eliza Thompson. Carolyn Flynn.

Eliza tendit le bouquet à Ryan, afin de pouvoir serrer la main à l'amie de Jeremy.

– Tu devrais essayer de devenir pro, dit celle-ci. Tu as fait un match incroyable !

– Merci, c'est gentil. Tu sais, j'ai l'impression de t'avoir déjà vue, ajouta Eliza en la regardant plus attentivement. Tu es une ancienne élève de Spence, non ?

– Je crois que j'étais un an au-dessus de toi, confirma Carolyn.

– Alors comme ça, vous vous connaissez, tous les deux ? demanda Eliza.

– On est ensemble en stage chez Morgan, expliqua Jeremy.

Eliza avait mal aux zygomatiques à force de devoir sourire. C'était tellement chouette, de revoir Jeremy... enfin ! Et elle était tellement touchée qu'il se soit souvenu du tournoi de tennis. Mais, selon toute apparence, il était venu... avec une fille.

– Je suis désolé de pas être passé te voir à la boîte, dit-il. J'ai bossé comme un dingue.

– C'est pas grave, répliqua Eliza. Rattrape-toi en venant ce soir au Septième Cercle, d'accord ?

Il hocha la tête.

– J'y serai.

– Moi aussi, dit Ryan, tenant toujours son bouquet de fleurs.

Mais Eliza avait déjà filé.

# L'interdiction
## est le plus puissant
### des aphrodisiaques

Jacqui frappa à la porte. Elle savait que Philippe boudait à l'intérieur. Après avoir perdu de la manière la plus humiliante qui soit – 6-0, 6-0, 6-3 –, il avait rageusement quitté le court. Mais en regardant Anna le regarder, pendant le match, Jacqui avait décidé de faire le maximum pour le... consoler. Elle ouvrit la porte et entra, au moment précis où Anna s'apprêtait à sortir.

– Oh ! Excusez-moi ! s'exclama Jacqui. Je voulais juste...

– Les chambres des enfants sont par là-bas, Jacqui, rétorqua Anna d'un ton glacial.

– Oui je sais, je... je cherchais la couverture de Cody, bredouilla Jacqui en quittant la pièce précipitamment.

Elle parcourut le couloir au pas de course. Et revint, en marchant sur la pointe des pieds, lorsque les pas d'Anna se furent éloignés.

– Ouvre ! Vite ! C'est moi, chuchota-t-elle.

– C'est ouvert, chuchota-t-il à son tour.

En entrant, elle trouva Philippe étendu sur son lit, en train de fumer une cigarette. Il paraissait un peu plus détendu que lorsqu'il avait balancé sa raquette sur le sol en béton et repoussé les caméras de télévision.

– Il se passait quoi, là ? demanda Jacqui.

– De quoi tu parles ? répliqua Philippe.

– Anna, dit-elle en désignant un point par-dessus son épaule.

– Qui ça ?

– La patronne. Elle était avec toi, là, à l'instant ?

Philippe haussa les épaules.

Jacqui serra les lèvres.

Encore couvert de sueur, ses cheveux d'un blond de miel humides et collant à son beau visage, Philippe était tout simplement irrésistible. L'interdiction de sortir avec lui le lui rendait plus désirable encore. Mais s'il avait vraiment une aventure avec Anna Perry, les choses se corsaient.

– Ne t'angoisse pas au sujet d'Anna Perry, dit Philippe comme s'il lisait ses pensées. Ce n'est pas ton problème. Qu'est-ce que j'y peux, si elle me trouve séduisant ? Moi, par contre, elle ne m'attire pas. Et donc, il n'y a rien entre nous.

– Je ne pensais pas à ça, mentit Jacqui.

Philippe prit une bouffée de sa cigarette, laissant la fumée tourbillonner autour d'eux.

– Vraiment ? répliqua-t-il dans un sourire.

Jacqui lui sourit à son tour. Nom de Dieu, ce qu'il était sexy !

– Alors, tu te sens comment ? Ça va ? s'enquit-elle d'une voix douce.

– C'était juste un match, dit-il en écrasant sa cigarette et en rajustant l'oreiller sous sa tête.

– Je suis désolée pour toi, en tout cas.

Jacqui jeta un coup d'œil à la porte, craignant à chaque seconde de voir surgir Anna.

191

– Moi aussi je suis désolé. Mais comme disent les Américains, on perd un jour pour mieux gagner le lendemain, *n'est-ce pas ?* demanda-t-il avec un sourire de mauvais garçon. À part ça, qu'est-ce que tu fais là ? Il faut que je perde un match pour que tu daignes faire attention à moi ?

– Eh bien... Tu étais pas mal occupé avec quelqu'un d'autre..., dit Jacqui, s'asseyant au bord du lit.

– Encore Anna Perry ! Qu'est-ce que je dois faire pour te convaincre qu'il n'y a rien entre cette femme et moi ? s'exclama Philippe.

– Prouve-le-moi ! lança Jacqui, entrouvrant ses lèvres dans un sourire provocant.

Philippe l'attira vers lui.

– C'est ce que tu veux ? demanda-t-il entre deux baisers.

Jacqui répondit à son baiser avec fougue. Mais lorsqu'il glissa une main sous son chemisier et lui caressa le dos, elle le repoussa.

– Non... pas maintenant, dit-elle en jetant un nouveau coup d'œil à la porte.

– Quand ?

– On trouvera bien un moment, dit Jacqui.

Elle lissa ses cheveux et l'embrassa une dernière fois.

Elle passa la tête dans l'embrasure de la porte. La voie était libre. Elle franchit le seuil, à l'instant précis où le Dr Abraham se dirigeait vers sa chambre d'un pas déterminé. Alors qu'elle franchissait le couloir en rasant les murs pour gagner les chambres des enfants, Jacqui les entendit discuter, Philippe et lui, et se demanda de quoi ils pouvaient bien parler. Décidément, la compagnie de Philippe était très appréciée !

# Les sœurs Perry
# trouvent à Mara
# un nouveau surnom

*Il ne faut pas juger les gens selon leur apparence.* C'est ce que Mara s'était entendu répéter toute sa vie, elle qui avait grandi dans la petite ville de Sturbridge. Ses parents avaient un faible pour ce genre d'expressions toutes faites, du type « Méfiez-vous de l'eau qui dort » ou « Aide-toi, le ciel t'aidera », que sa mère avait brodées, encadrées et accrochées dans leur cuisine. Mara mettait généralement en pratique le premier de ces dictons : elle était toujours prête à laisser aux gens une seconde chance.

Garrett Reynolds, par exemple. Elle l'avait tout d'abord pris pour un play-boy fortuné qui ne pensait qu'à une chose – or il s'était avéré qu'il s'intéressait réellement à elle. Elle s'était donc trompée sur son compte. Se pouvait-il qu'elle ait également mal jugé Poppy et Sugar ?

Ça avait commencé de façon plutôt anodine, quand Garrett et elle, acceptant l'invitation de Sugar, avaient assisté à l'anniversaire de Charlie Borshok. Ils avaient passé une bonne soirée, et les jumelles n'avaient pas une seule fois mentionné son statut de fille au pair. À vrai dire, contrairement à l'été dernier, elles la traitaient sur un pied d'égalité. Poppy, à peine revenue d'une prétendue thalasso en Arizona avec un tour de poitrine revu à la hausse et les cheveux teints en marron chocolat, se montra particulièrement amicale, suite au « scandale du mamelon ».

– C'est pas mal, d'être un peu controversée. Comme ça, les gens continuent de s'intéresser à toi, avait-elle expliqué à Mara.

Et en matière de controverse, Poppy s'y connaissait. Depuis qu'elle avait été évincée de l'émission de télé-réalité, elle avait tenté de reconquérir l'attention du public par des moyens alternatifs. En premier lieu, une nouvelle gamme de bougies parfumées inspirées de sa vie tellement glamour. Parmi les différents parfums, on trouvait « Ambiance New York City », dont l'odeur était malheureusement semblable à celle de la ville évoquée, « Dernier verre », qui empestait comme l'arrière-salle d'un café glauque, et « Célébrité », mêlant la vénéneuse odeur de sureau aux effluves capiteux et écœurants du gardé-nia. Leurs parents ne paraissaient pas s'inquiéter du fait que les jumelles n'avaient visiblement pas l'intention, ni l'une ni l'autre, de retourner au lycée cet automne. Comme le disait Sugar, elles pourraient toujours obtenir leur diplôme d'études secondaires plus tard, comme le faisaient toutes les stars de Hollywood.

Le jour de la soirée de lancement, au Septième Cercle, de « Drogues Douces par Poppy Perry », Poppy avait bousillé le 4 × 4 de la famille. Kevin, furieux, avait dit aux filles qu'elles pouvaient soit prendre la Volvo, soit s'acheter une nouvelle voiture. Ne souhaitant pas s'attaquer à leurs propres fonds, les jumelles avaient demandé à Mara la jolie petite BMW décapotable avec laquelle elle se trimballait partout en ville.

Elles étaient les deux dernières personnes sur terre avec lesquelles Mara aurait pensé pouvoir sympathiser. Mais, comme les jumelles étaient invitées aux mêmes fêtes qu'elle et avaient les mêmes amis que Garrett, ça paraissait naturel. D'autant plus que Mara n'avait personne d'autre avec qui traîner. Eliza lui avait dit ne pas s'inquiéter, n'empêche qu'elles ne se fréquentaient plus depuis la fameuse soirée au Septième Cercle. Mara était très peinée qu'Eliza lui en veuille autant, mais ne voyait pas comment arranger les choses.

Plus tard dans la soirée, Mara se retrouva assise sur le lit plate-forme de Sugar, en pleine séance de maquillage et d'essayage avec les jumelles.

– Qu'est-ce qu'elle est belle ! s'exclama Mara en caressant une robe blanche Versace au décolleté audacieux, dans le placard de Sugar.

– Je sais. C'est ma préférée, dit Sugar. Mais je ne peux plus la porter. J'ai été trop souvent photographiée avec. Je la donnerais bien à Poppy, mais elle ne lui irait plus à cause de... tu vois ce que je veux dire, s'esclaffa-t-elle en désignant la poitrine de sa sœur. L'opération...

– Tais-toi ! Ça me fait encore un mal de chien ! gémit Poppy en se frottant les seins. Essaie-la, Mara ! Je parie qu'elle va super bien t'aller. Allez, essaie-la !

– J'ose pas, dit Mara, alors qu'elle retirait déjà son short et faisait glisser la robe sur ses hanches.

– Tu mets quoi, ce soir ?

– J'ai pas encore décidé, répondit Mara en remontant la fermeture éclair.

– Oh mon Dieu ! Poppy, regarde !

– Oh, c'est dingue !

– Qu'est-ce qu'il y a ? s'inquiéta Mara. J'ai l'air ridicule ?

Poppy fit pivoter Mara pour qu'elle soit face au miroir en pied.

– Pas vrai qu'elle est la plus mimi du monde ? demanda-t-elle à sa sœur.

– Ça oui... On peut dire qu'elle est mimi, approuva Sugar.

– Mimi... c'est ça ! C'est ton nouveau nom. À partir de maintenant, on t'appellera comme ça. Ne le prends pas mal, dit Poppy la main sur la hanche, mais Mara c'est un peu nul !

– Cette robe est faite pour toi ! Tu sais quoi ? Elle te va trop bien, tu devrais la garder, déclara pompeusement Sugar.

Poppy hocha la tête, emballée.

– Tu ressembles à ce mannequin russe... cette Natalia quelque chose !

– Ah oui, tu trouves ?

Mara rougit. Elle se contempla une nouvelle fois dans le miroir. C'était la robe qu'avait portée Eliza à la soirée d'anniversaire de P. Diddy l'année précédente. Mara se rappelait s'être demandé où Eliza avait bien pu la dénicher. À présent, elle le savait.

– Je te la donne. C'est un cadeau. Qu'est-ce qu'on ferait pas pour notre petite Mimi !

– Eh, les filles, vous savez si Ryan a une copine ? lança soudain Mara – elle avait remarqué qu'Allison ne venait plus chez les Perry, ces derniers temps.

Sugar haussa les épaules, et Poppy garda un visage impassible.

– Pas qu'on sache, assura Sugar.

Or à peine Mara eut-elle le dos tourné qu'elle adressa un clin d'œil à sa sœur.

– Allez, faut qu'on y aille. C'est moi qui conduis ! décréta Poppy en agitant les clés de la BMW de Mara.

Eliza se tenait devant la boîte, gardienne de son empire de quarante centimètres carrés, grelottant dans une énième tenue archi-légère. Elle reconnut la BMW qui venait d'entrer dans le parking, mais que faisait Poppy au volant ? Cette dernière lança les clés au voiturier, et Sugar sortit du côté passager. Les jumelles posèrent pour quelques clichés. Elles ignorèrent Eliza, tout occupées qu'elles étaient à glapir des « Salut ! » à l'adresse de Kartik.

– Eh, attendez-moi !

Tournant à nouveau la tête vers la voiture, Eliza vit Mara ouvrir la portière arrière et s'élancer à la poursuite des jumelles. Eliza la saisit par le bras, alors qu'elle passait sans la remarquer.

– Ohé, on se dit plus bonsoir ?

– Eliza ! je t'avais pas vue ! s'exclama-t-elle d'une voix haut perchée, imitant à la perfection les intonations de Sugar. Bravo pour le match d'aujourd'hui. T'as été géniale !

– Mimi ! Ramène un peu ta fraise ! hurla Poppy depuis la porte.

– J'arrive ! cria Mara, en s'empressant de les rejoindre. Au revoir, Eliza !

*Mimi ?* se demanda Eliza. Qui diable était *Mimi* ? Elle regarda Mara s'éloigner. S'imaginait-elle des choses, ou Mara portait-elle la robe Versace de Sugar ? Qui plus est, devant Sugar !

Sous les yeux d'Eliza, Mara la brune et Poppy la nouvelle brune entourèrent Sugar la blonde platine, et toutes trois firent leur entrée dans la boîte, laissant Eliza se geler sur place.

# Enrobé de sucre, ça passe mieux !

Jeremy avait promis de venir, mais minuit avait sonné depuis longtemps, et il n'avait toujours pas montré le bout de son nez. Eliza consulta à nouveau son portable pour s'assurer qu'elle n'avait pas loupé d'appel. Elle retourna dans la boîte et fit le compte des tables encore libres dans la salle VIP. Cela l'irrita de voir Mara installée sur la meilleure banquette de l'établissement, entourée de part et d'autre par les sœurs Perry, devisant avec certaines des adolescentes les plus fortunées de la bonne société new-yorkaise. Et cela l'irrita d'être irritée. Elle ne voulait pas être jalouse de Mara, mais ça l'écœurait un peu de voir son amie, qui n'aurait pas su épeler le nom d'Hermès l'année dernière, traîner avec la jeune héritière de la vénérable marque française. Mara frayait avec la crème de la jeunesse dorée et, pire que ça, on aurait dit qu'elle avait fait ça toute sa vie.

Elle était d'une élégance incroyable. Elle portait la robe blanche de Poppy avec des spartiates Imitation of Christ, et avait un chouette petit étui à cigarette Art déco en guise de sac à main. Eliza, quant à elle, était vêtue d'une robe dos nu Alaïa, achetée par sa mère des décennies plus tôt. La robe en tissu métallisé associait une sorte de col roulé sur le devant à un dos nageur. Très moulante, elle épousait parfaitement les formes d'Eliza, et avait pour fonction de rappeler à Jeremy ce qu'il avait loupé cet été. En se préparant ce soir-là, Eliza avait été très contente d'elle-même. À présent, elle se sentait presque ordinaire.

– Eh, jolie robe ! dit Sugar en croisant Eliza dans les toilettes, une pièce aux équipements en acier inoxydable, où un abreuvoir industriel tenait lieu de lavabos.

– Merci, c'est un modèle vintage, dit Eliza, flattée.

Elle avait du mal à l'admettre, mais l'attention de Sugar lui avait manqué. Si celle-ci se comportait parfois comme une vraie garce – Eliza n'était pas près d'oublier à quel point elle s'était montrée méchante après avoir découvert qu'elle travaillait chez les Perry –, elle savait aussi vous enjôler quand l'envie lui prenait. Et Dieu sait pourquoi, c'est ce qu'elle était en train de faire.

– Super ! s'exclama Sugar en se rinçant les mains. Eh, au fait, félicitations !

– Merci, soupira Eliza.

Certes, elle était contente d'avoir gagné – elle saurait comment utiliser l'argent, et adorait être le centre d'attention. Mais cela ne suffisait pas à la consoler : il était déjà une heure du matin, et Jeremy, bien qu'il eût promis de venir, n'était toujours pas là.

– Qu'est-ce qui ne va pas, ma poulette ? s'enquit Sugar en se repoudrant le nez.

– Rien, répondit Eliza, avec un haussement d'épaules. C'est juste que... j'étais censée retrouver un mec ici, ce soir.

– Notre ancien jardinier ? demanda Sugar, apparemment sans malveillance.

– Ouais, acquiesça Eliza en fronçant les sourcils face au miroir.

– Je croyais que tu étais avec Ryan, dit Sugar.

– Qui t'a raconté ça ? répliqua Eliza, stupéfaite.

Ryan et elle n'étaient sortis ensemble qu'une seule fois cet été, et ni l'un ni l'autre n'avait l'intention de remettre ça.

Sugar eut un sourire énigmatique.

– C'est mon frère, tu sais... Et puis, il y a eu toute cette histoire, à Palm Beach.

Eliza était affligée. Elle avait oublié que les jumelles étaient au courant de l'épisode.

– C'était rien du tout. On n'est pas ensemble.

– Pourquoi ? insista Sugar, s'adossant au lavabo et croisant les bras. Il n'est pas assez bien pour toi ?

– Mais non. Ça n'a rien à voir.

– Dans ce cas, pourquoi vous ne sortez pas ensemble ? proposa Sugar, comme si elle venait de résoudre un problème difficile.

– Et Mara, dans tout ça ? demanda Eliza sur un ton nerveux.

Sugar leva les yeux au ciel.

– Parce que tu crois qu'elle n'est pas au courant ?

– Mara est au courant ? rétorqua Eliza, déconcertée.

Pourquoi ne lui avait-elle rien dit, dans ce cas ? Parce qu'elle était furieuse ? Ou parce qu'elle ne se souciait réellement plus de Ryan ?

– C'est pas si terrible que ça ! De toute façon, maintenant elle est avec Garrett, déclara Sugar, avant de plaquer un baiser sur la joue d'Eliza. À plus tard.

Bien plus tard, cette nuit-là, après que toutes les célébrités furent parties et que toute la cour de Sugar, Mara comprise, eut quitté le Septième Cercle pour se rendre à une fête à Jet East, Eliza vit qu'elle avait un message de Jeremy. Il avait visiblement été retenu à une soirée caritative avec son patron dont il avait cru qu'il pourrait s'échapper, et blablabla... Eliza distinguait en arrière-fond sonore le tintement des verres et des rires féminins. Il disait qu'il était vraiment désolé. Tu parles, Charles ! Eliza effaça le message, trop furieuse et trop déçue pour s'en soucier davantage.

Elle se dirigea vers l'espace VIP, où elle vit Ryan Perry, assis seul à une table dans un coin de la salle. Elle s'assit à côté de lui et remarqua le bouquet de fleurs qu'il avait tenté de lui offrir, plus tôt dans la journée. Cette fois-ci, elle n'oublierait pas de les prendre.

# Comment on devient mannequin

– Qu'est-ce qui vous fait rire ?

Mara était en retard au restaurant où elle devait rejoindre Jacqui, Philippe et les enfants pour le déjeuner. Elle avait passé la matinée chez la pédicure, en compagnie de Sugar et Poppy, et se sentait un peu coupable d'avoir une fois de plus manqué au poste.

– Cette femme, là-bas, vient de nous demander si nous étions mannequins, expliqua Jacqui, en levant les yeux au ciel et en tendant à Mara une carte de visite semi-rigide.

Mara tourna la tête et vit Mitzi Goober leur adresser de grands signes enthousiastes. Portant la main à ses lèvres, Mara fit mine de lui envoyer un baiser.

– Mitzi... qu'est-ce qu'elle voulait ? s'enquit-elle.

– Elle veut qu'on participe à un défilé, répondit Philippe.

Il montra le carton d'invitation à Mara.

Mara examina le carton aux caractères gravés. C'était une invitation pour un défilé de mode à but caritatif qui aurait lieu au club de polo de Bridgehampton la semaine suivante. Elle l'avait elle-même déjà reçue par la poste – on lui avait réservé une place au premier rang. Depuis lors, Sugar et Poppy avaient du mal à parler d'autre chose. C'était visiblement l'un des événements les plus importants de la saison.

– Vous devriez le faire, dit Mara.

– Mannequin, il y a pas plus crétin comme boulot ! dit Jacqui en découpant les haricots verts de Cody.

Mitzi Goober accourut à leur table et fit la bise à Mara.

– Alors, c'est bon, vous êtes partants ? Reinaldo va vous adorer. Sérieusement, ce serait me rendre un énorme service : deux mannequins n'ont pas pu obtenir à temps le renouvellement de leur visa.

– On vous fait une faveur, alors ? Et vous, vous me proposez quoi, en échange ? demanda Philippe avec un sourire aguicheur.

– Oh, mais quel vilain garçon ! gloussa Mitzi. J'adore ça ! Qu'est-ce que vous voudriez que je fasse ?

– C'est bon, on est partants ! l'interrompit sèchement Jacqui.

Philippe devait-il forcément flirter avec tout ce qui lui passait sous le nez ? Il était censé être à elle, même s'ils n'avaient fait qu'échanger quelques baisers clandestins ici et là depuis le tournoi de tennis. S'il suffisait à Jacqui, pour se débarrasser de cette fille exaspérante, d'accepter de participer au défilé, elle acceptait de bon cœur ! Et puis Mara et Eliza y assisteraient. Elle voulait tellement qu'elles puissent se retrouver, toutes les trois, et redevenir amies.

– C'est top ! dit Mitzi en leur envoyant une quantité de baisers. À plus tard, beau gosse. Je réserve la chambre d'hôtel, lança-t-elle d'une voix rauque, en manière de plaisanterie, à l'adresse de Philippe.

*Une chambre... Ah ouais ?*

Ça c'était une idée !

# Ça ne compte pas,
# mais ça fait du bien !

Si quelqu'un s'était avisé de lui poser la question, Eliza aurait répondu qu'elle n'était vraiment pas amoureuse de Ryan Perry. Mais vraiment pas du tout. Ils avaient tous deux leurs raisons pour souhaiter que leur relation, si on pouvait appeler ça comme ça, reste secrète.

Après que Jeremy lui eut posé un lapin le soir du tournoi de tennis, et qu'elle eut découvert que Mara savait pour elle et Ryan – et que ça lui était visiblement égal –, Eliza trouva naturel de remettre ça. Il lui avait offert des fleurs, nom de Dieu ! Ce soir-là, ils se rendirent donc dans la demeure des Perry et, sans bien comprendre comment, se retrouvèrent nus dans les bras l'un de l'autre. C'était la troisième fois de l'année. N'était-ce pas en train de devenir une habitude ?

Le lendemain matin, Eliza s'était esquivée discrètement, en prenant soin de ne pas emprunter l'escalier de service menant à l'arrière de la maison, fréquemment utilisé par le groupe des baby-sitters. Sugar avait eu beau affirmer que Mara savait, Eliza était terrorisée à l'idée de la croiser. Elle ne pouvait se débarrasser de l'impression que fricoter avec Ryan était comme jouer avec le joujou de quelqu'un d'autre.

À présent, dix jours plus tard, Eliza commençait à s'habituer à l'idée. Ils s'étaient revus plusieurs fois, avaient passé des moments drôles et relaxants. L'autre soir, après que le rappeur 50 Cent eut célébré le lancement de son nouvel album au Septième Cercle, Ryan avait fait un saut à la boîte à l'heure de la fermeture et ils étaient allés chez elle, sous prétexte de regarder un autre DVD. Or, Dieu sait comment, ils avaient glissé vers quelque chose de plus intime. Deux jours plus tard il l'avait appelée, le soir où elle ne travaillait pas, pour lui proposer de venir voir *Le Parrain III*. Elle n'en mourait pas d'envie (si Sofia Coppola était devenue une grande réalisatrice, elle n'avait jamais été une bonne actrice, estimait Eliza), mais s'était tout de même retrouvée dans les bras du garçon. Eliza décida que sortir avec Ryan, c'était comme manger debout devant le frigo : ça ne comptait pas, c'était du zéro calorie !

À part que ses parents se montraient très irritants, traitant Ryan comme son petit ami – ce qu'il n'était certainement pas. Un soir, Ryan était passé chez eux. Eliza et lui s'étaient fait réchauffer une pizza au micro-ondes et avaient traîné au bord de la piscine, au lieu de se rendre à une fête à laquelle ils avaient prévu d'assister au Club PlayStation2. Quand les parents d'Eliza étaient rentrés, plus tôt que prévu, d'une soirée de bienfaisance, ils avaient fait tout un plat de la présence de Ryan. Certes, c'était un vieil ami de la famille et tout le tralala, mais quand même... Sa mère leur avait adressé un clin d'œil et, le lendemain matin, son père avait dit à Ryan qu'il pouvait leur rendre visite aussi souvent qu'il le désirait. Intéressant : sitôt après le dîner avec Jeremy, son père avait dit qu'il valait mieux cesser d'inviter des gens, car la maison n'était pas à eux. Eliza en concluait que Ryan avait le genre qui convenait, et pas Jeremy – du moins, selon les critères de ses parents.

Non que Jeremy eût jamais cherché à la revoir. Elle n'avait plus eu de ses nouvelles depuis le jour du tournoi. Bien sûr, elle n'en continuait pas moins à consulter frénétiquement ses messages.

– Tu appelles qui ? demanda Ryan, fourrant dans sa bouche une poignée de pop-corn et répandant des miettes partout sur le tapis.

Il était venu la chercher au boulot ce soir-là, et ils étaient là, à regarder la télé d'un œil.

– Je consulte mes messages, répondit-elle.

Ryan hocha la tête. À l'écran, une actrice célèbre racontait à Oprah Winfrey sa dernière relation amoureuse désastreuse.

Le problème, c'est qu'Eliza aimait bien ces moments passés avec Ryan. Elle aimait qu'il vienne la chercher au boulot : tout le monde le connaissait ou avait entendu parler de lui, et toutes les serveuses le trouvaient super-mignon. Elle aimait bien n'avoir à se soucier de rien. Même sa mauvaise conscience à l'égard de Mara s'atténuait au fil des jours. Sugar lui avait dit que Mara savait et que ça lui était égal. Eliza ne faisait donc rien de mal. Sortir avec Ryan lui rappelait son ancienne vie à New York, et l'époque où elle pouvait embrasser qui elle voulait, parce que c'était son droit !

Elle abandonna sa messagerie et leva les yeux vers l'écran.

– Eh, ce n'est pas Sugar ? demanda-t-elle.

C'était une émission de télé-réalité de la chaîne E !. Ils étaient en train de diffuser le match de tennis.

Ryan grommela quelque chose. Il s'apprêtait à changer de chaîne quand quelque chose attira son regard. Eliza le vit aussi. Mara, dans un coin de l'écran, fixait sur quelque chose, ou sur quelqu'un, un regard plein de langueur. La caméra se déplaça alors pour suivre son regard : dans les tribunes était assis Ryan, totalement concentré sur le match.

Mince alors !

# Les meilleures choses
## ne coûtent rien
## (mais elles ont une fin)

– Ne me dis pas que ce sont des vrais ? ! hurla Megan, si fort que Mara, occupée à relever ses cheveux en queue-de-cheval, faillit en avoir les tympans percés. Ils sont gros comme des glaçons !

Le jour du défilé de mode à but caritatif, Mara avait reçu la visite de deux personnes : sa sœur Megan – qui traînait une énorme valise en piteux état et une trousse de maquillage de sept kilos –, et un messager en uniforme marron venu livrer un petit sac noir. Dans le sac se trouvait un écrin en velours. Il contenait une paire de boucles d'oreilles serties de diamants dix carats d'une valeur de deux cent cinquante mille dollars, prêtées par l'un des nouveaux clients de Mitzi.

À présent, les deux sœurs se rendaient au restaurant Jean-Luc East, où Mara était en bons termes avec le patron.

– Nicole Kidman les a portées à la cérémonie des Oscars, répondit Mara. Je suis censée les mettre ce soir.

Après qu'on les eut conduites à l'une des meilleures tables, sa sœur l'informa des dernières nouvelles de Sturbridge : les problèmes rencontrés par leur père sur son chantier, le travail de leur mère à la braderie de la paroisse, mais Mara trouvait

209

tout cela tellement provincial, tellement ringard qu'elle se surprit, malgré elle, à penser à autre chose.

– Et le représentant en produits capillaires est craquant ! glapit Megan, ce qui éveilla l'attention de Mara.

Chaque semaine, le salon de coiffure recevait de nouveaux produits et le représentant de la marque, un Irlandais du nom de Bobby O'Donnell, était le dernier mec sur qui sa sœur avait flashé.

Mara regarda sa sœur de derrière les verres surdimensionnés de ses lunettes Chanel : plus grande qu'elle, Megan avait les cheveux roux et bouclés et un sourire exubérant rappelant celui de Julia Roberts. Elle était absolument ravissante, vive comme tout, et amoureuse d'un type qui, pour gagner sa vie, livrait des bouteilles de shampooing et d'après-shampooing. Qu'est-ce qui clochait ?

– Tu mérites mieux que ce Bobby O'Donnell, dit Mara, coupant court à la conversation sur le représentant en produits capillaires.

Elle avait oublié à quel point la vie était ennuyeuse à Sturbridge. En avait-il toujours été ainsi ?

Après le déjeuner, Mara sortit quelques billets de banque de son sac à main et les laissa sur la table, obligeant Megan à ranger sa carte de crédit.

– J'ai été payée aujourd'hui, expliqua-t-elle en tapotant une enveloppe de papier kraft bourrée à craquer.

Elles consacrèrent le reste de la journée à écumer les boutiques d'East Hampton, et retournèrent chez les Perry afin de se préparer avant d'aller au défilé. Mara se regarda dans le miroir. Elle portait une robe Dior évanescente, ornée de perles cousues main, et à l'ourlet brodé de plumes. Le célèbre maquilleur Scott Barnes, qui comptait parmi les clients de Mitzi, était passé la maquiller. Il lui avait appliqué, en les collant un à un, des faux cils en fourrure de renard, comme il faisait pour Jennifer Lopez. Edward Tricomi, qui coiffait le Tout-Hollywood, était venu en personne lui couper et lui coiffer les cheveux pour la soirée. Pour couronner le tout, elle arborait à chaque oreille un diamant dix carats de la plus belle eau.

Megan sortit de la salle de bains.

– Pas vrai qu'elle est terrible ? demanda-t-elle. Je l'ai dégotée chez Loehmann's !

Elle était vêtue d'une mini-robe sixties Marc Jacobs à gros boutons en plastique, et de cuissardes blanches. Un look très en vogue... deux saisons plus tôt.

– Tu ne veux pas plutôt m'emprunter quelque chose ? suggéra Mara en désignant les portants chargés du dernier cri en matière de vêtements. Je t'assure, ça ne me dérange pas du tout.

– Tu rigoles ? J'ai acheté ça exprès pour ce soir !

Mara poussa un grognement. Cette tenue était manifestement passée de mode, ce qui n'était certes pas l'idéal pour se rendre à un défilé. Mara comprit que ça n'allait pas coller et, pour la première fois de sa vie, eut vaguement honte de sa sœur.

# Ce n'est pas parce qu'elles sont belles qu'il faut être jalouses !

Dans les coulisses du défilé, l'assistant du couturier, un nommé Octavian qui préférait se faire appeler Miss O, rassembla les mannequins autour de lui.

– Écoutez-moi, les amis ! s'écria-t-il. Vous les garçons, vous jouez pas les machos. Et vous les filles, vous êtes des minettes en vacances ! Et surtout, soyez sexy ! Pigé ? Allons-y !

Jacqui portait sa première tenue, une combinaison-string archi-légère et un jean évasé taille (très) basse. La combinaison laissait son dos à moitié dénudé, à l'exception d'une fine ligne de tissu coincée dans la ceinture du jean.

Elle avait bien failli louper le défilé et regrettait déjà que cela n'ait pas été le cas. Lorsque Philippe et elle avaient accepté de jouer les mannequins, ils ne s'étaient pas imaginé une seconde que ça allait leur prendre la journée. Heureusement, Anna avait insisté pour que les gamins passent la nuit au camp de vacances de la Cabbale. Elle tenait absolument à ce qu'ils deviennent amis avec Lourdes et Rocco qui étaient censés s'y trouver eux aussi.

Pendant le défilé, Jacqui n'en revenait pas de la façon dont les mannequins étaient traités. Tous les stylistes et les habilleuses leur parlaient très lentement, comme à des enfants, ou à des handicapés mentaux, ou à des enfants handicapés mentaux. Chaque mannequin était flanqué d'une escorte de trois personnes, pas moins, pour les aider à passer des mains des maquilleurs aux mains des coiffeurs, puis des mains des coiffeurs à celles des habilleuses.

Octavian se précipita vers elle.

– Jacqui ! Je te cherchais. Reinaldo a eu une nouvelle vision pour le final.

Il la conduisit à l'espace coiffure, où d'audacieux visagistes transformaient la crinière des filles en nids de rats défiant les lois de la gravité, tandis que le créateur en chef, Reinaldo, donnait son approbation à ces chignons en tout genre.

– Je pensais donc, dit Reinaldo en caressant les cheveux noirs et soyeux de Jacqui, à une coupe à la Sinead O'Connor, avec un petit côté Good Charlotte.

– Génialissime ! approuva Miss O.

Assise sur sa chaise, Jacqui les fixait d'un air dubitatif.

Le coiffeur-visagiste tenait un rasoir.

– Ma chérie, qu'est-ce que tu dirais d'une coupe « iroquois » ? demanda-t-il.

– Vous plaisantez ? répondit Jacqui, levant les mains pour se protéger la tête.

Ses longs cheveux sombres et brillants !

– On ne peut pas faire autrement ! décréta Reinaldo d'une voix soudain très assurée. Le mariage du punk et du rock. Du rétro et de la vieille école... Tu as vu ce film... ? dit-il en claquant des doigts, les sourcils froncés, *La Guerre des étoiles, l'Attaque des clones* ?

– Plutôt un faux iroquois, non ? Hérissé mais désordonné,

213

précisa Octavian. Richard Avedon rencontre Helmut Newton dans une fantaisie de Baz Luhrmann.

– Géant !

Sans laisser à Jacqui le temps de protester, il commença de lui raser un côté du crâne. C'était douloureux. Quelques minutes plus tard, on balayait sur le sol les cheveux de Jacqui et elle se regardait dans le miroir avec stupéfaction.

Elle n'avait jamais douté de sa beauté... mais à présent ? Elle leva la main, qui glissa sur son crâne comme l'eau sur le dos d'un canard.

– Perfecto ! Magnifique ! s'extasiait Octavian.

De toute sa vie, Jacqui ne s'était jamais sentie aussi laide.

# C'est ce qu'on appelle les célébrités de deuxième zone, bébé

Le club de polo de Bridgehampton avait, pour le défilé de mode, dressé une immense tente blanche au milieu du terrain de polo. Une rangée de tables blanches installée à l'entrée accueillit Mara et Megan. Plusieurs invités arpentaient les lieux un cocktail à la main, leurs talons s'enfonçant dans le sol à chaque pas. Mara repéra Eliza, derrière la toute première table. Elle bouscula les gens pour y parvenir, marmonnant de brefs « pardon » tandis que Megan, qu'elle entraînait avec elle, se répandait en excuses chaque fois qu'elles passaient devant quelqu'un. Alan et Kartik avaient « prêté » Eliza à Mitzi pour l'aider à diriger les opérations, car la moitié du personnel de Mitzi avait fait une réaction allergique à la nouvelle crème pour le visage d'un de ses clients. Selon toute apparence, les extraits purs d'algue ne réussissaient pas à tout le monde.

– Tu es sûre qu'on peut faire ça ? demanda Megan.

– Pardon pardon pardon… vous pourriez nous laisser passer, s'il vous plaît ? lançait Mara en fonçant tête baissée, sans même attendre une réponse.

Plusieurs dames distinguées leur jetèrent des regards agacés, que Mara ignora.

– Liza ! s'écria-t-elle.

Eliza, coiffée de son sempiternel casque et vêtue d'une jolie robe noir et blanc Temperley achetée avec l'argent du tournoi, leur fit signe de la rejoindre.

– Tu vois, qu'est-ce que je te disais... c'est une amie à moi, dit Mara, en se gardant de préciser qu'Eliza faisait partie, l'année dernière, du groupe des filles au pair.

Mara et Eliza se firent la bise, se frôlant à peine. Leurs relations avaient changé, bien qu'elles ne fussent pas franchement fâchées.

– Eliza, voici ma sœur Megan.

– Oh, salut ! fit Eliza avec un grand sourire. Waouh ! C'est fou ce que vous vous ressemblez toutes les deux !

– Tu trouves ? rétorqua Mara, ne sachant si elle devait le prendre pour un compliment.

À force de traîner avec Sugar et Poppy, elle finissait par croire que tout le monde était ironique.

– Tu es superbe ! dit Eliza, complimentant Megan, au grand soulagement de Mara. (Eliza consulta sa liste et fronça les sourcils.) Je n'ai pas le nom de Megan ici, chuchota-t-elle à Mara.

– Ah bon ? demanda Mara.

Elle avait eu l'intention de demander à Mitzi une place pour sa sœur. Or, ça lui était complètement sorti de la tête.

Eliza jeta un nouveau coup d'œil à la liste. Plusieurs des célébrités attendues n'étaient pas encore arrivées, et il était très probable qu'elles ne viendraient pas du tout.

– Suivez-moi, dit-elle, en écartant le rabat de la tente.

Les sœurs Waters suivirent Eliza à l'intérieur. Une longue allée au sol recouvert de plastique avait été aménagée sur toute la longueur de la tente. De part et d'autre, des chaises pliantes blanches formaient d'impeccables rangées. Sur chaque chaise, on avait disposé un petit sac noir contenant de multiples produits de beauté, ainsi que des magazines de mode. Or, les sacs du premier rang étaient nettement plus grands que les autres.

– La tienne est ici, dit Eliza, lorsqu'elle trouva la chaise au nom de Mara.

Elle décolla l'étiquette, portant le nom d'une célébrité, sur la chaise d'à côté.

– Et toi, Megan, mets-toi là !

– Merci, lança Mara du bout des lèvres.

Megan se laissa tomber sur sa chaise, fascinée par l'agitation environnante. Au bout de l'allée, les photographes installaient les appareils et leurs trépieds, et un groupe agité de paparazzis prenait des clichés des célébrités occupant le premier rang. Il y avait de célèbres rédactrices de mode cachées derrière leurs lunettes griffées ; plusieurs jeunes femmes, blondes pour la plupart, portant des pulls en cachemire aux coloris pastel autour du cou ; et un petit nombre d'actrices célèbres, assises aux meilleures places. De sémillants « journalistes » représentant toutes les chaînes et toutes les émissions traitant de la vie des stars interviewaient les habituées des défilés, les filles de la haute et les actrices connues.

Mara croisa les jambes et orienta son visage pour pouvoir être prise sous le meilleur angle, sachant qu'ils n'allaient pas tarder à venir prendre sa photo. Elle prétendit ne pas remarquer que sa sœur était déjà en train de farfouiller dans le sac-surprise, et de s'exclamer sur les trésors qu'elle y découvrait.

217

– Regarde, Mara ! Du baume à lèvres Kiehl gratuit ! s'exclama Megan d'une voix tout excitée.

Mara hocha la tête avec un sourire.

– Il n'y a pas mieux, approuva-t-elle.

Elle ne précisa pas que la compagnie de Mitzi lui avait envoyé, l'autre jour, un carton rempli de produits de la même marque. Mara sourit à une petite femme aux cheveux frisés, le nez chaussé d'énormes lunettes de soleil, qui était assise à côté de Megan.

– Oh mon Dieu ! J'adore votre série ! Je m'identifie totalement à Carrie Bradshaw ! dit Megan, tournée vers elle.

– Merci, répondit discrètement la star.

– Je pourrais avoir un autographe ? demanda Megan.

Mara faillit mourir de honte. Sarah Jessica Parker eut beau s'exécuter gentiment, Mara était affreusement gênée. Les célébrités ne venaient certainement pas aux défilés pour être importunées par des fans. Pour couronner le tout, une fois que les photographes eurent mitraillé Jessica Simpson et Sarah Jessica, pas un ne s'arrêta pour prendre une photo de Mara Waters.

Contrairement à ce qu'elle avait commencé à croire, elle n'était pas si célèbre que ça, après tout.

# L'ambiance
# devient très chaude

Jacqui s'efforça d'éviter les miroirs qui se trouvaient partout dans les coulisses. Ses cheveux ! Ses splendides, ses épais cheveux noirs ! Disparus ! Remplacés par une coupe branchée, un faux iroquois, avait dit le visagiste. En d'autres termes, un iroquois inabouti, qui ne ressemblait à rien. Les cheveux, plus longs au milieu, avaient été travaillés de façon à former une pointe alors que les côtés du crâne étaient coupés en brosse. Elle passa les doigts là où les cheveux étaient le plus court, frissonnant au contact de sa nuque rasée. On aurait dit celle d'un garçon. Mais il n'était plus temps de se lamenter, car on éteignait la lumière et Octavian, à l'entrée de la piste, hurla aux mannequins de se mettre en ligne.

Jacqui s'efforça de trouver sa place, les yeux humides de larmes contenues. Comment affronter la foule avec une coupe aussi ridicule ? Elle entreprit de rajuster sa combinaison-machin-chose − ne l'aurait-elle pas mise à l'envers, par hasard ? −, commença par retirer les bretelles, et le vêtement resta à pendre autour de sa taille.

– Jacqui ?

Elle fit volte-face, les seins à l'air.

– Oui ?

219

– Oh ! Salut ! Oh !

Kit Ashleigh se tenait à l'entrée de l'espace d'habillage, rouge comme une tomate. Il tenait un énorme bouquet de fleurs.

– Oh mon Dieu ! Je suis désolé !

Jacqui serra les bras sur son torse pour cacher sa poitrine.

– Kit !

– Je suis désolé d'être en retard. Ces fleurs... elles sont pour toi, dit-il, les lui tendant en prenant soin d'éviter de la regarder.

– Elles sont magnifiques ! *Obrigado.*

Une habilleuse vint remonter les bretelles de sa combinaison, même si cela ne changeait pas grand-chose. Jacqui était toujours très dénudée.

Kit sursauta. Il venait de remarquer ses cheveux.

– Tes cheveux ?

– Comment tu trouves ? dit Jacqui, en tripotant nerveusement les pointes. C'est moche, non ?

– Tu es..., bredouilla Kit, les yeux brillants d'admiration. Tu es à tomber par terre !

– Tu es sincère ?

Jacqui sourit et écarquilla des yeux pleins d'espoir.

C'est alors que l'un des assistants remarqua Kit.

– Pas de petits copains ici ! gronda-t-il en lui indiquant la sortie.

– Je ne suis pas son...

Le visage de Kit s'empourpra à nouveau.

– Tu es magnifique, dit-il à Jacqui. Bonne chance !

– Salut ! Merci ! s'écria-t-elle, pendant que l'habilleuse s'assurait que son string était bien droit.

À ce moment-là, une silhouette bronzée et sculpturale apparut dans son champ de vision. Entre deux changements de tenue, Philippe exhibait son corps nu, souple et hâlé à force de jouer au tennis. Il faisait des tractions sur un portant et n'avait pas l'air de craindre que tout le monde puisse le voir, lorsque Jacqui surprit son regard.

Il la gratifia d'un sourire prédateur.

– Jolie coupe ! lança-t-il.

Il y avait une quantité de très belles filles dans les coulisses du défilé, mais, pour une fois, il lui consacrait toute son attention. Dans la salle, les lumières se tamisèrent, et Reinaldo les exhorta à penser « au sexe, les enfants, au sexe ! ».

Après avoir vu Philippe nu, ce ne devait pas être trop difficile.

# Il n'y a pas que dans les jardins d'enfants qu'on joue aux chaises musicales

Un défilé de mode était bien le dernier endroit où Eliza aurait pensé croiser Jeremy. N'empêche qu'il était là. Elle aidait à classer les chèques des donateurs et à les mettre en regard des noms cochés sur la liste des invités, lorsqu'il était apparu à l'entrée, en compagnie de Carolyn Flynn. Tous deux étaient serrés l'un contre l'autre au second rang – le rang des sponsors, puisque la banque qui les employait avait presque entièrement financé l'événement – en train de siroter du champagne et de jeter des regards déconcertés sur tout ce qui les entourait.

Eliza les observait, se demandant s'ils formaient un couple, lorsque Ryan entra et alla prendre place à côté de ses sœurs. Eliza eut un petit serrement au cœur. Et puis après tout... si Jeremy ne l'aimait plus, il lui restait Ryan, qui était un super copain, petit copain ou Dieu sait quoi... Il lui adressa un geste discret de la main, accompagné d'un clin d'œil.

Eliza lui fit signe à son tour, tandis que l'abordait une femme de forte corpulence, dont le visage lui était vaguement familier.

– C'est vous la responsable de l'accueil ? demanda la femme.

Elle était vêtue d'une chemise polo défraîchie et d'un pantalon ample, et tenait un talkie-walkie.

– Euh... oui... si vous voulez, bredouilla Eliza. En quoi puis-je vous aider ?

– Ma cliente, Chauncey Raven, va arriver d'une seconde à l'autre, dit la femme.

Eliza se rappela alors où elle avait vu la femme. C'était la pontifiante agente qui, au début de l'été, avait prié Eliza de ne pas laisser entrer Ondine Sylvester dans la salle VIP.

– C'est formidable. Nous sommes de grands fans de Chauncey ! répliqua Eliza, lui servant la réplique qu'elle réservait à tous les agents de stars.

– Eh bien... tant mieux... mais j'ai besoin de savoir où elle sera placée. Les filles, là-bas, m'ont dit que toutes les chaises du premier rang étaient prises.

– Oh ! s'exclama Eliza.

*Merde.* Le défilé allait débuter dans cinq minutes !

La voix grinçante de Mitzi brailla dans son casque.

– Eliza ! Mon chou ! On déclenche le plan d'urgence ! Chauncey Raven n'a pas de place !

L'agente baraquée fusillait Eliza du regard.

Celle-ci ne savait pas quoi faire. L'ordre de Mitzi (« Arrange-moi ça ! ») ne lui indiquait en rien la marche à suivre. Comment faire ? Prier l'un des occupants du premier rang de se mettre au second rang ? Elle parcourut des yeux la salle à présent remplie d'invités, et s'arrêta sur Mara et Megan. Sans doute comprendraient-elles à quel point il importait d'installer Chauncey au premier rang. Eliza parcourut le passage recouvert de plastique dans un cliquetis de talons et alla trouver les deux sœurs.

223

– Mara, je peux te parler une seconde ? demanda Eliza en lui tirant le bras.

– Que se passe-t-il ? Il y a quelque chose qui ne va pas ? rétorqua Mara.

– Chauncey Raven va assister au défilé.

– Oh, super !

Mara avait tellement traîné avec Chauncey, au Septième Cercle, qu'elle la considérait comme une amie.

– Mais il n'y a plus de place au premier rang. Je suis vraiment, vraiment désolée. Ça vous dérangerait, ta sœur et toi, de vous déplacer au second rang ? Je peux vous mettre juste là-bas, à côté des sœurs Perry.

Mara se raidit.

– Mais pourquoi ? demanda-t-elle en voyant les sœurs Perry échanger des messes basses, de l'autre côté du podium.

Sugar et Poppy ricanaient en jetant des coups d'œil à Megan et Mara rougit à la pensée des commentaires que devait leur inspirer la tenue de sa sœur. Elle avait du mal à croire qu'Eliza veuille les faire bouger. Mara avait passé suffisamment de temps dans les Hamptons pour savoir qu'il n'y avait rien de plus humiliant que d'être forcé d'abandonner sa place.

L'agente de Chauncey Raven saisit Eliza par le bras, et lui murmura.

– Chauncey est entrée ! Elle va arriver !

– Je suis vraiment désolée de devoir vous demander ça, insista Eliza, tournant le dos à Mara, et suppliant Megan d'un geste des mains. Mais on a une personnalité très, très importante qui arrive et qui avait oublié de confirmer sa présence.

224

On a vraiment besoin de vos deux places au premier rang. Je suis vraiment désolée, Megan.

– Pas de problème ! répondit Megan avec un grand sourire. C'est qui, la star en question ?

– Vraiment, Meg, tu ne devrais pas te lever ! s'obstina Mara, alors qu'Eliza aidait déjà Megan à libérer sa chaise.

– C'est Chauncey Raven. Merci, merci, merci ! dit Eliza en tendant ses affaires à Megan et en l'installant au second rang. Oh... sauf qu'il faut que tu laisses le sac-surprise.

Le visage de Megan se décomposa. Elle remarqua que les sacs du deuxième rang étaient nettement plus petits.

– C'est bon. Garde-le ! dit Eliza.

Chauncey arriva avec quinze bonnes minutes de retard, traînant dans son sillage son mari, Daryl Wolf. Comme il n'y avait qu'une place pour deux, Chauncey se percha illico sur les genoux de son époux.

La salle fut plongée dans le noir et, soudain, une ligne de basse assourdissante s'échappa des haut-parleurs, et la voix sensuelle d'une chanteuse se mit à roucouler en cadence. Les lumières se rallumèrent et les mannequins commencèrent à trottiner sur le podium, au rythme du tube électro-hip-hop *Fuck the Pain Away*.

L'assistance s'échauffa sous l'effet des paroles osées et des tenues archi-révélatrices. Jacqui fit son entrée dans sa combinaison-string et avec son faux iroquois, et l'atmosphère devint électrique. Tout cela était si mauvais... et pourtant si délicieux. Pas une seule tenue n'était portable. Pas un seul vêtement qui eût un quelconque rapport avec l'existence des femmes de l'assistance. Mais cela n'avait aucune importance. La collection était un hommage exubérant au sexe et à la beauté, et recueillerait un concert de louanges dans les journaux. Lorsqu'elles finiraient par atterrir dans les boutiques, les jupes transparentes seraient doublées, les minijupes ramenées à une longueur plus convenable. Quant aux combinaisons-strings, le modèle, à vrai dire, n'avait été créé que pour le défilé.

Eliza glissa deux doigts dans sa bouche et siffla. Puis elle jeta un coup d'œil vers le premier rang, mais elle ne vit pas Mara, juste Chauncey Raven qui, assise en biais sur les genoux de son mari, devait lui bloquer la vue du défilé.

Eh bien, ça lui apprendrait à se comporter comme une garce !

# Les liens du sang résistent
# à tout... sauf à la salle VIP

Après que le public eut acclamé Reinaldo, à la fin du défilé, tous se ruèrent sur le buffet, qui se tenait dans le parc du Country Club. Garrett était arrivé à la toute fin et, jaugeant Megan d'un seul coup d'œil, avait entrepris de l'ignorer totalement. Mara avait demandé à Megan de tenir son sac-surprise, le temps qu'elle aille saluer ses amis.

Lorsque les vraies célébrités furent reparties et que Garrett eut reparu à ses côtés, les paparazzis finirent par s'apercevoir de sa présence. Elle remarqua que Megan paraissait mal à l'aise, mais il fallait bien qu'elle aille dire bonjour à tous ces gens – des échotiers, des rédacteurs de magazines, et divers spécialistes en relations publiques qui lui avaient fait porter, cet été, des créations de leurs clients.

– Ma chérie ! s'exclama Mara d'une voix stridente, en saluant une fille un peu trop grasse boudinée dans une robe à imprimé Liberty. (Comme Mitzi, elle avait pris l'habitude d'appeler tout le monde « chéri ».) Tu es superbe !

À peine la fille eût-elle tourné le dos qu'elle murmura, à l'adresse de Garrett, de Megan et de tous ceux qui pouvaient l'entendre :

227

– Si tant est qu'on puisse être superbe, habillée avec une toile cirée !

Garrett éclata de rire, et les sœurs Perry les rejoignirent aussitôt pour profiter de leur bonne humeur.

– Oh, waouh ! lança Sugar. J'adorais cette robe !

– C'est vrai ? dit Megan. Merci.

– Ouais, l'année dernière, ricana son interlocutrice. La mienne, je l'ai donnée à l'Armée du Salut.

Mara fit celle qui n'avait rien entendu. Elle avait bien dit à Megan de lui emprunter quelque chose, justement pour éviter ça.

Megan se retira poliment, l'air blessée, sous prétexte de se diriger vers le buffet. Mara et Sugar partagèrent une cigarette.

– Mon Dieu ! Quelle idée de manger dans un endroit pareil ! s'exclama Sugar.

Mara haussa les épaules.

– On va au Dragonbar, maintenant ? demanda-t-elle, faisant allusion à la vraie soirée d'after, à laquelle seuls les *happy few* avaient été invités.

Plusieurs de leurs amis communs, parmi lesquels l'héritière de grands laboratoires pharmaceutiques, se joignirent à leur groupe.

– Eh, Mimi, ce n'est pas ta sœur, là-bas ? demanda l'héritière en désignant Megan, qui s'efforçait de ne pas renverser deux mini-assiettes remplies de champignons farcis et de pinces de crabe.

– Euh… enfin… non, pas vraiment, répondit Mara, embarrassée.

Si Megan n'entendit pas, quelqu'un d'autre entendit.

Lorsqu'elle leva les yeux, Mara vit Ryan. Il la regardait en secouant la tête.

– Salut Ryan, crâna-t-elle en lui soufflant sa fumée au visage.

– J'aurais jamais cru ça possible, dit-il.

– Pardon ?

– Tu es devenue... l'une d'entre elles, répliqua-t-il, faisant un geste vers la foule environnante. Mes sœurs sont déjà pas mal dans le genre, mais toi... Et moi qui te croyais différente !

– Qu'est-ce que ça signifie ? demanda Mara.

Mais Ryan lui avait tourné le dos, et s'éloignait déjà.

Mara jeta un coup d'œil alentour, espérant que quelqu'un aurait assisté à leur conversation, et pourrait confirmer que Ryan dépassait les bornes. Mais il n'y avait personne dans les parages, hormis un serveur qui ne paraissait pas vraiment content d'être là. Elle alla se rasseoir à côté de Garrett et regarda Ryan dire bonjour à Eliza. Megan la rejoignit, tenant toujours une assiette remplie d'amuse-gueules.

– Mara, je suis vannée. Je crois que je vais rentrer tôt, dit-elle, l'air découragé. Et je pense que je reprendrai le premier bus pour Sturbridge demain matin.

Mara était toujours sous le choc des mots de Ryan. « Tu es devenue l'une d'entre elles. » *Qui ça, elles ?* Megan lui parlait, mais Mara ne prêtait pas attention à ses paroles.

– Euh... OK... très bien, répliqua-t-elle d'un ton distrait.

– Mara, tu m'entends ou quoi ? Je m'en vais ! insista Megan.

Mais Mara se contenta de plonger la main dans son sac et d'en sortir sa clé.

– La clé coince un peu, parfois, dans la serrure du haut. Il faut donner deux tours, dit-elle.

Megan hocha la tête, la gorge nouée.

– Eh bien... parfait... On se voit à la fin de l'été, alors, quand tu rentreras à la maison.

– Ouais, répliqua Mara.

Elle se leva et étreignit mollement sa sœur. *L'une d'entre elles ? Qui ça, elles ?* Sugar et Poppy ? Et alors ? C'étaient ses sœurs, après tout. Elle les regarda, puis se regarda. D'accord, elles portaient toutes les mêmes sandales en cuir métallisé et les mêmes mini-robes asymétriques, mais ça ne signifiait pas qu'elle était comme elles. *Les apparences sont parfois trompeuses,* songea Mara. Ryan était mieux placé que personne pour le savoir.

– Ta sœur est partie ? demanda Garrett en se penchant vers Mara.

– Ouais. Elle était très fatiguée.

– Tant mieux, dit Garrett en lui frottant le dos.

Mara fit tomber la cendre de sa cigarette dans un verre à vin vide, car le cendrier était trop loin. Elle aperçut Eliza et Ryan, retranchés dans un coin, avec des amis de Ryan. Ils étaient assis si près l'un de l'autre, si proches que leurs cuisses se touchaient, et Eliza écartait des mèches du visage de Ryan. N'importe qui les aurait pris pour un couple.

Et pourtant, *les apparences sont parfois trompeuses,* se répéta Mara.

Elles le sont parfois, mais ça ne signifie pas qu'elles le sont toujours.

# Je vais te casser
# ta sale gueule de Français !

Lorsqu'elle arriva au Dragonbar, Eliza tomba sur Kit, en train de siroter un double whisky.

– Eh, mon chou, qu'est-ce qui va pas ?

Kit lui désigna Jacqui, qui s'était installée dans un coin, avec un groupe de sublimes créatures.

Si tous les invités étaient vêtus de façon très voyante, les véritables beautés – dont Jacqui faisait partie – se prélassaient, quant à elles, en sweat-shirts et en tennis. Jacqui était assise sur les genoux de Philippe.

– Allez, je t'en paie un autre, dit Eliza. Un whisky, c'est ça ?

Kit hocha la tête, agitant les glaçons dans son verre désormais vide.

Philippe vint vers eux. Adressa à Eliza un petit signe de tête.

– Salut. On s'est déjà rencontrés, non ? demanda-t-il d'un ton aguicheur.

– Oui, répondit Eliza, avec un sourire.

Philippe n'avait pas retiré son maquillage, ce qui lui donnait l'air assez crétin, vu de près. Il appela la serveuse et commanda un cosmopolitan.

– Philippe, voici mon ami Kit. Kit, je te présente Philippe.

Il travaille lui aussi, cet été, comme baby-sitter chez les Perry, expliqua Eliza.

– Salut, dit Kit, en regardant Philippe avaler une grande gorgée de son cocktail pour fille.

Alors comme ça, ce mannequin avec de l'eye-liner plein les yeux aimait boire ce genre de trucs…

– Tu sors avec cette fille ? demanda Kit en désignant Jacqui. Philippe haussa les sourcils.

– Qu'est-ce que ça peut te faire ? rétorqua-t-il.

– Eh bien, c'est une amie à moi ! dit Kit en s'efforçant de maîtriser sa voix et sa colère.

– Ah oui ?

– Ouais. Et si tu lui brises le cœur, je casserai ta sale petite gueule de Français ! menaça-t-il.

Il donna un coup dans le verre à cocktail, faisant gicler son contenu sur le tee-shirt d'andouille de Philippe, où l'on pouvait lire « LES MANNEQUINS CRAIGNENT UN MAX ! »

– *Merde !* s'exclama Philippe.

Il se détourna, sans répondre à l'insulte. Tout en s'éloignant, il tentait d'essuyer la tache rose.

– Ne t'inquiète pas, bébé, dit Jacqui quand il se rassit. Je ne vais pas tarder à te le retirer, ce tee-shirt.

# Eliza fait
## des équations sentimentales

Certes, il l'avait présentée à son meilleur ami de prépa, Matt Hooper, dont il lui avait parlé à une ou deux reprises. Ça, il n'avait pas manqué de le faire.

– Eh Matt, je te présente Eliza, avait-il dit.

Eliza avait souri. Matt avait répliqué « Salut » et s'était assis. Point final. Il ne l'avait pas détaillée de pied en cap et ne lui avait pas adressé le hochement de tête subtil qui signifiait : « Alors comme ça, t'es la petite copine de mon pote ! » Eliza était tout simplement Eliza. Une fille qui traînait en boîte avec Ryan.

Ils sortaient désormais ensemble depuis plus d'un mois et, même si elle ne s'attendait pas à ce que Ryan la présente comme sa petite amie... d'ailleurs, elle n'était *pas* sa petite amie ! La première fois qu'ils s'étaient retrouvés dans les bras l'un de l'autre, il était toujours, à ses yeux, l'amoureux de Mara. Mais étant donné que Mara était visiblement la nouvelle petite amie de Garrett, cela signifiait-il que Ryan était... son petit ami à elle ? Elle se récita la liste de tout ce qu'il faisait pour elle. Il allait la chercher après le boulot pour qu'elle n'ait pas à rentrer seule en voiture. Il l'appelait tous les soirs. Il n'avait pas besoin de l'appeler pour la voir le week-end, puisqu'il était clair qu'ils se verraient. Il lui avait même offert ce collier avant qu'ils ne quittent Palm Beach. Eliza délirait peut-être, mais tout cela paraissait faire d'elle la petite amie de Ryan.

Mais si elle était sa copine, pourquoi ne le disait-il pas ? Pourquoi ne pas le préciser à ses amis ? Et pourquoi aucun d'eux ne paraissait se rendre compte qu'elle n'était pas une fille à qui Ryan avait juste donné rendez-vous pour la soirée, ni juste une amie, mais la fille avec qui il rentrait tous les soirs ? Soudain, Eliza cessa de se sentir mal à l'aise, et commença à se sentir de plus en plus... vexée.

– Ryan, on peut parler deux minutes ? demanda Eliza.

– Bien sûr, bébé, dit Ryan avec un sourire.

– Je veux dire, juste tous les deux ? précisa-t-elle.

Elle l'entraîna dans un coin de la boîte.

– À ton avis, qu'est-ce qu'on est en train de faire, tous les deux ?

– On boit un verre, répondit-il en haussant les épaules, sans cesser de lui sourire tendrement.

– Non, je veux dire... tous les deux... tu vois ce que je veux dire.

– Oh.

L'espace d'une seconde, il parut déconcerté. Puis il réalisa qu'Eliza le fixait attentivement.

– Eh bien, voilà comment je vois les choses...

Il remua les sourcils, cherchant de toute évidence à dédramatiser la situation.

– Toi et moi, c'est de l'amitié...

*Ah Ah.*

– ... avec des avantages en plus. Tu sais bien...

234

Il haussa les épaules, esquissa un sourire charmeur.

– Comment ça, des avantages ? Quelle sorte d'avantages ?

Elle comprenait très bien ce qu'il voulait dire par là, mais était suffisamment furieuse pour exiger des explications supplémentaires.

– Tu sais... on est amis, mais on aime bien... se faire des câlins, et ce genre de trucs, répondit-il en souriant toujours. Viens, je t'offre un autre verre.

Quand diable allait-il cesser de traiter la situation tellement à la légère ?

– Alors comme ça, c'est tout ce que je suis ? Un bon plan ? Histoire de passer le temps ? lança Eliza.

- Eliza, ne prends pas les choses comme ça ! dit Ryan, en la pressant contre lui pour la réconforter. Allez, c'est pas ce que tu crois. Ne te mets pas en colère. Tu savais ce qu'on faisait, non ?

– Va te faire voir, Ryan !

Eliza retenait ses larmes. Elle n'était pas une fille facile et pourtant, c'est exactement ce qu'elle avait le sentiment d'être.

– Eliza... attends... Eliza ! répétait Ryan. Allez...

Plusieurs têtes se tournèrent vers eux, assistant à ce qui était de toute évidence une querelle d'amoureux. Si certains des amis de Ryan s'étaient imaginé qu'Eliza et lui n'étaient guère plus que des amis, ils changèrent sans doute d'avis en la voyant lui envoyer son cocktail à la figure.

# L'amour est aveugle, mais Mara portait peut-être des lunettes de soleil

– C'était quoi, ce cirque ? demanda Mara en désignant Ryan qui, lancé à la poursuite d'Eliza, sortait de la boîte.

Elle avait assisté à la totalité de la scène et, bien qu'elle n'eût pu distinguer leurs paroles, il était clair qu'Eliza et Ryan se disputaient.

Qu'ils se disputaient comme seules deux personnes qui s'étaient retrouvées nues dans les bras l'une de l'autre étaient capables de se disputer.

Sugar ricana, le nez dans son verre.

– Tu n'es pas au courant ?

Elle lécha le bord de son verre à cocktail et adressa à Mara un sourire candide. Poppy donna un coup de coude à sa sœur.

– Eliza et Ryan sont sortis ensemble à Palm Beach. Et, à ce que j'ai entendu dire, ils ont remis ça tout l'été. Les trois quarts de son temps, il les passe chez elle, dit Sugar, d'une voix dénuée de toute émotion.

Eliza... et Ryan ? Ensemble ? Sa meilleure amie ! Et son petit ami ! OK, son ex-petit ami ! Et d'accord, son ex-meilleure amie ! Mais... Ryan ! Et Eliza ! À Palm Beach ! Ensemble ! Et qui plus est, pendant tout l'été ! Comment avait-elle pu l'ignorer ?

Comment Eliza avait-elle pu trahir le premier commandement de l'amitié : *Tu ne sortiras pas avec le futur petit copain, le petit copain ou l'ex-petit copain de ton amie.* Et le second commandement : *Tu ne mentiras pas à ta meilleure amie.* Mais Eliza avait passé son temps, l'été dernier, à rôder dans les Hamptons en cachant à tous ses anciens amis qu'elle avait déménagé à Buffalo et qu'elle travaillait comme fille au pair. Peut-être Mara s'était-elle fait des illusions sur elle ?

– Ma pauvre petite... on croyait que tu le savais, dit Sugar en posant une main sur l'épaule de Mara.

– Ça va ? demanda Poppy, apparemment soucieuse.

Elle tendit à Mara une serviette en papier.

– Tu ne pleures pas, tout de même ?

Mara secoua la tête et se força à sourire.

– Ça va, je t'assure.

Mais c'était loin d'être le cas.

# Pourquoi le téléphone sonne-t-il toujours au mauvais moment ?

La clé d'une chambre de motel.

C'est ce que Jacqui glissa dans la poche du jean de Philippe sans qu'il s'en aperçoive, au Dragonbar.

– Je nous ai réservé une chambre, expliqua-t-elle lorsqu'il la trouva. C'est à Montauk, pas loin de la plage.

Au diable Anna et ses ultimatums ! Le jeu en valait la chandelle.

Le motel était un bâtiment délabré, en front de mer, datant des années 1950. Les chambres étaient propres et il y avait de la moquette. Ce n'était pas un cinq-étoiles, mais ce n'était pas non plus le motel de *Psychose*. Jacqui disparut dans la salle de bains. Ils étaient enfin seuls, et dans un lieu privé où Anna ne risquait pas de les surprendre. Jacqui se regarda dans le miroir – elle avait encore du mal à s'habituer aux cheveux courts – et enfila un ensemble culotte soutien-gorge Agent Provocateur acheté pour l'occasion.

Philippe était couché, et déjà nu sous les couvertures, lorsqu'elle sortit de la salle de bains. Il eut un grand sourire en la voyant.

– Ah, l'ensemble Agent Provocateur ! s'exclama-t-il sur un ton de connaisseur.

238

Jacqui ne s'attendait pas à une telle réaction. Pour elle, un véritable compliment, c'était : « Tu es superbe dans cette robe ! » et non « Cette robe est griffée Chanel ». Mais peut-être Philippe faisait-il une fixation sur la mode parce qu'il était français ?

Elle souleva les couvertures et se glissa à côté de lui dans le lit.

– Oh là là ! Tu as les pieds gelés ! s'exclama-t-il lorsqu'elle vint se presser contre lui.

– Désolée, dit-elle en frottant ses pieds contre les draps. Le carrelage de la salle de bains est froid.

Philippe se calma et finit par l'embrasser. Elle ferma les yeux, sentit ses mains se déplacer sur son corps et défaire les nœuds délicats qui retenaient ses sous-vêtements. Mais soudain Philippe s'appuya sur un coude, et parcourut la chambre des yeux.

– Qu'y a-t-il ? demanda Jacqui.

– Mon téléphone, répondit-il en bondissant hors du lit.

Il se précipita vers son sac à dos, d'où la sonnerie provenait. Il s'agenouilla et défit la fermeture de la poche de devant, où son téléphone était allumé et vibrait.

Jacqui se laissa retomber sur le lit avec un grand soupir, mais Philippe avait déjà répondu.

– Non, non, je n'ai rien prévu, disait-il.

Il raccrocha et regarda Jacqui.

– Je suis désolé… j'ai une… euh… une urgence ! dit-il.

Jacqui attendit, bouche bée, pendant que Philippe se rhabillait. Lorsqu'il alla se rincer la figure dans la salle de bains, elle se précipita sur son sac à dos. Qui donc pouvait être assez important pour qu'il l'abandonne – *nue qui plus est !* – au

239

milieu de la nuit ? Elle parcourut frénétiquement la liste des appels reçus. Jusqu'au tout dernier : *Domicile des Perry.*

Anna.

Évidemment.

# On ne se sent jamais très bien, le matin, avec les habits de la veille

Il n'est jamais très drôle de se réveiller dans un lit inconnu. La façon dont la lumière du soleil vous surprend – jaunâtre, peu flatteuse et chargée de grains de poussière – donne l'impression que le monde veut vous punir de vos turpitudes de la veille. Même si Mara et Garrett n'avaient rien fait la nuit dernière – il s'était endormi tout habillé à la seconde où il s'était couché – la jeune fille eut le réveil amer. Ryan et Eliza sortaient ensemble, et cette pensée lui serrait le cœur.

Garrett dormait encore lorsqu'elle remit ses vêtements de la veille au soir. Ça lui paraissait un peu naze, voire vulgaire, de porter une robe à plumes de si bon matin, et elle avait dormi avec tout son maquillage. Elle chercha ses sandales, sans parvenir à les trouver.

Garrett poussa un grognement, ouvrit un œil et tenta d'attirer à nouveau Mara dans le lit.

– Tu vas où ?

– Faut que je parte, dit Mara avec un sentiment de panique, en se dégageant de l'étreinte de Garrett.

Elle ramassa son sac à main sur la moquette et se faufila hors de la chambre, sans ses souliers.

– Je t'appelle plus tard, marmonna Garrett.

Mara s'empressa de descendre l'escalier de service et de traverser le jardin qui séparait la propriété des Reynolds de celle des Perry.

Elle venait de franchir la haie, devant la piscine, lorsqu'elle vit Ryan s'avancer, son surf sous le bras. Parfait ! Justement le gars qu'elle voulait croiser !

Ryan enregistra la robe chiffonnée de Mara, ses pieds nus, son maquillage qui coulait, et la direction d'où elle venait. Il afficha une expression de mépris.

– On s'est couché tard ? demanda-t-il avec un rictus plein d'amertume.

Mara se redressa. Il ne s'était rien passé, mais pas question de le lui dire. Qu'il s'imagine donc qu'elle était restée toute la nuit avec Garrett, et que lui, Ryan, lui était on ne peut plus indifférent.

– Garrett ne m'a pas laissé fermer l'œil de la nuit ! déclara-t-elle en souriant aussi largement qu'elle en était capable. Je suis épuisée !

Ryan grimaça. On aurait dit qu'elle le dégoûtait.

– Je suis au courant, pour toi et Eliza, ajouta-t-elle. Alors, ne va pas te figurer que tu vaux mieux que moi !

– Mais de quoi tu parles ? Tu as rompu avec moi en novembre ! hurla-t-il.

C'était la première fois que Mara voyait Ryan se mettre réellement en colère, montrer que sa nonchalance et sa décontraction pouvaient être ébranlées. Exactement ce qu'elle aurait voulu voir l'automne dernier, lorsqu'elle lui avait annoncé qu'il valait mieux pour eux se contenter d'être amis.

– Si je l'ai fait, c'est seulement parce que je ne pensais pas que tu... Oh, laisse tomber ! dit Mara, en pivotant sur ses talons.

De toute manière, il était trop tard. Désormais, il sortait avec Eliza. Elle se dirigea à grands pas vers le cottage des domestiques, en s'efforçant de ne pas penser à ce qui venait de se passer.

Lorsqu'elle arriva dans la chambre, il n'y avait personne. Jacqui n'était pas dans les parages, et Megan était partie. Sans même lui laisser un petit mot. Mara s'écroula sur le lit. Elle était épuisée, mentalement et physiquement. La sonnerie de l'interphone retentit. Elle décrocha.

– Allô ?

– C'est comme ça que vous répondez au téléphone ? rétorqua Anna, de sa voix au débit haché.

– Oh, je suis désolée.

– Les enfants attendent leur petit déjeuner. Ai-je raison de supposer que vous êtes encore à notre service ?

– J'arrive tout de suite, Anna ! répondit-elle à contrecœur, en se demandant où Jacqui avait bien pu disparaître, et pourquoi elle ne lui avait rien dit au sujet de Ryan et Eliza.

Ça, des amies ?

# Les gamins pleurent quand on leur retire leurs bonbons

Kartik avait dépêché Eliza auprès de Mitzi pour l'aider à tout remballer après le défilé de mode. Elle revint donc au Country Club après quelques heures de sommeil à peine. Les manutentionnaires empilaient les chaises, et des sacs-surprises vides volaient à travers la tente comme des buissons errants. Eliza assistait à une réunion en compagnie de Mitzi et de ses assistantes. Toutes bâillaient derrière leurs lunettes noires et sirotaient des cafés au lait écrémé, en ressassant les potins de la veille.

– Tout d'abord, il faut faire livrer un sac-surprise à toutes les célébrités qui n'en ont pas eu hier. L'agente de Chauncey Raven a appelé. Chauncey en veut un.

Eliza hocha la tête. Ah, les caprices de stars... Chauncey devait avoir quarante millions de dollars en banque, mais il lui *fallait* à tout prix ce baume à lèvres Kiehl et cet agenda électronique incrusté de cristaux Swarovski.

– Et puis, il y a deux ou trois articles dont il faut qu'on s'occupe aujourd'hui... On a prêté des robes à plusieurs filles pour qu'elles les portent hier, et il faut qu'on les récupère. Envoyez-leur les coursiers habituels. On a un cas spécial, cependant. Sugar Perry a une robe Chanel, et il faut qu'on la

244

récupère pour le défilé de Karl, demain, à Paris. C'est très important, car c'est le seul exemplaire dont nous disposons pour l'instant. Eliza, tu connais Sugar, non ? Tu peux te charger de cette mission ?

– Bien sûr, répondit Eliza, en s'efforçant de ne pas lever les yeux au ciel.

Elle se gara dans l'allée des Perry, soulagée de constater que la voiture de Ryan n'était pas là. Hier soir, Ryan avait tenté à six reprises de la joindre sur son portable. Elle n'avait pas répondu, et avait effacé les messages sans les écouter.

Après lui avoir balancé son verre à la figure, Eliza avait quitté la boîte en courant et failli heurter Carolyn et Jeremy. Ce dernier avait tenté de lui saisir le bras, mais elle ne s'était pas arrêtée. Bizarre, la façon dont les choses avaient évolué ! Elle n'avait souhaité qu'une chose : passer l'été avec Jeremy. Et à présent, il était là, en compagnie d'une autre. Et elle pleurait à cause d'un garçon qui n'était même pas Jeremy. Sauf qu'au bout d'un moment, alors qu'elle roulait vers chez elle et que sa voiture s'enfonçait dans les bois, c'est pour Jeremy qu'elle se mit à verser des larmes, et non plus pour Ryan.

Eliza sonna à la porte et demanda au majordome à voir Sugar. Elle se préparait à la bagarre. Sugar n'était pas le genre de fille à lâcher facilement un modèle unique de robe haute couture.

En effet, quand Eliza entra dans sa chambre entièrement meublée et décorée de blanc, les premières paroles de Sugar furent :

– Qui t'a laissé entrer ?

Elle était vêtue en tout et pour tout d'un tee-shirt et d'un boxer. Les caméramans de l'émission de télé-réalité suivaient le moindre de ses faits et gestes.

Eliza haussa les épaules.

– Mitzi veut récupérer la robe.

– Quelle robe ? demanda Sugar avec candeur, en faisant des flexions du dos.

Elle se réveillait toujours tôt, qu'elle eût ou non la gueule de bois. Ce jour-là, elle s'était levée à l'aube pour effectuer son salut au soleil.

– La Chanel. C'est un modèle unique, et on en a besoin pour le défilé de Karl.

– Oh, celle-là, dit Sugar. Je ne sais plus où je l'ai mise.

– Tu l'as perdue ? demanda Eliza, incrédule. Tu es tout de même bien rentrée avec, cette nuit ?

– J'imagine, gloussa Sugar. Je me souviens plus de rien.

– Écoute, Sugar, c'est pas mon problème. Je fais mon job, point final. Tu veux bien me donner la robe ? Elle n'est pas à toi, tu sais.

– Très bien.

Elle ouvrit la porte de sa penderie et fouilla dans un tas de vêtements à même le sol. Et balança à Eliza une espèce de loque déchiquetée.

– Oh mon Dieu ! s'exclama Eliza. Elle est fichue !

– Charlie a marché sur la traîne, et je crois que Poppy l'a brûlée avec les cendres de sa cigarette. Je suis désolée ! conclut-elle avec un sourire hypocrite.

Eliza tint la robe de soie rose pâle devant les caméras. Elle n'arrivait pas à croire qu'on puisse être aussi négligent, même en étant aussi gâtée que Sugar Perry.

– Tu sais que Daria Werbowy est censée défiler avec,

demain ! Mitzi t'avait demandé d'en prendre soin ! s'écria Eliza.

– J'en ai pris soin. J'y suis pour rien, c'est clair ? rétorqua Sugar d'un ton exaspéré. Et puis, pourquoi il en fabrique pas une autre, de robe ? C'est son boulot, non ?

Eliza fourra la robe dans un sac et sortit en bousculant les caméramans. Elle savait que Mitzi serait furieuse et que ce serait elle, et non Sugar, qui aurait à affronter sa colère. La célébrité protégeait de tout. Eliza avait au moins appris cela cet été.

# Les meilleures choses ne coûtent rien (mais espérons qu'elles sont assurées !)

Lorsque Mara revint de sa journée de baby-sitting, elle en voulait encore terriblement à Jacqui de ne rien lui avoir dit, pour Ryan et Eliza. Cet été, elle avait à peine vu celle-ci. En revanche, Jacqui et elle avaient passé presque toutes les nuits dans la même chambre.

– La joaillerie Ivan a appelé pour vous, lui dit Laurie, tandis que Mara s'efforçait de faire entrer les enfants dans la salle de jeux.

– Oh ?

– Ils ont envoyé un coursier cet après-midi pour récupérer des... boucles d'oreilles ? Mais comme vous n'aviez pas laissé de paquet ou quoi que ce soit, ils sont repartis.

Les boucles d'oreilles. Les boucles d'oreilles d'une valeur de deux cent cinquante mille dollars. Ah oui... Mitzi lui avait dit qu'elle enverrait quelqu'un les récupérer le lendemain de la soirée. Mara avait complètement oublié.

Elle se précipita au cottage des domestiques. Le voyant du répondeur était allumé. Elle écouta le message :

« Mara, salut ! C'est Mitzi. Tu étais superbe hier soir, ma chérie ! Par ailleurs, ma belle, faut que je rende ses boucles d'oreilles à Ivan. Remets-les dans l'écrin et laisse-les à ton assistante, de façon à ce que le coursier puisse les récupérer. Merci ! À plus tard ! »

Puis le suivant :

« Salut Mara, c'est à nouveau Mitzi. Écoute, mon chou, le coursier a dit qu'il n'y avait pas de paquet pour lui. Tu as dû oublier. Appelle-moi pour me tenir au courant, Ivan en a vraiment besoin, Jennifer Lopez doit les porter à la cérémonie des MTV Music Awards. Merci, mon chou. Salut. »

Mara mit toute sa commode sens dessus dessous. Elle aurait juré qu'elle les avait retirées en rentrant au cottage le matin même, et qu'elle les avait rangées dans le petit écrin de velours, à côté de la montre de Jacqui. Mais lorsqu'elle ouvrit l'écrin, les boucles ne s'y trouvaient pas. Elles n'étaient pas non plus dans son autre coffret à bijoux, ni sur le lavabo, où il lui arrivait parfois de laisser traîner son collier de perles. Se pouvait-il qu'elle les eût oubliées chez Garrett ?

Elle appela Garrett et lui expliqua la situation.

– Non, t'as rien laissé ici. Il manque qu'une chose dans cette chambre, et c'est toi, poupée ! répondit Garrett avec nonchalance.

Elle raccrocha, saisie de panique.

Se pouvait-il que Megan les ait prises ? Impossible : Megan était partie avant le retour de Mara. Et puis... sa sœur ? Elle était tellement honnête qu'il lui était arrivé d'appeler un grand magasin pour signaler que son compte n'avait pas été débité suite à une commande. Était-il possible, alors, qu'elle les eût perdues pendant le défilé ? Mais les boucles d'oreilles ne tombent quand même pas toutes seules !

Elle était certaine de les avoir retirées ce matin en arrivant, juste après avoir croisé Ryan. Mais alors, comment se faisait-il qu'elles ne soient plus là ?

Le téléphone sonna. Mara décrocha.

– Allô ?

– Mara ! Ma chérie ! Je parviens enfin à t'avoir au bout du fil ! Écoute, tu peux laisser ces boucles dans un paquet, qu'on puisse venir les récupérer demain. Merci, ma jolie !

– Bien sûr, dit Mara d'une voix faible, le ventre noué.

Elle avait signé, avec une totale insouciance, des documents où elle reconnaissait assumer la responsabilité légale en cas de préjudice financier dû au vol ou à la perte des boucles d'oreilles. Mais cela devait arriver fréquemment, non ? Elle se souvenait avoir lu que Paris Hilton avait égaré un bracelet en diamants dans une boîte de nuit.

Mais voilà... Paris était célèbre. Alors que Mara, ainsi qu'elle venait de le réaliser lors du défilé... ne l'était pas !

# Avec des amies pareilles,
# qui a besoin des sœurs Perry ?

Jacqui revint de Montauk bien plus tard dans l'après-midi, Philippe ayant pris la voiture la veille au soir sans se demander comment Jacqui allait rentrer. Elle avait dû prendre le bus, qui faisait tout un tas de détours et s'arrêtait toutes les cinq secondes. Au cours de cet interminable trajet, Jacqui eut largement le temps de mesurer l'étendue de sa bêtise : tout risquer pour passer du temps avec Philippe quand, depuis le début, il n'avait cessé d'être le joujou d'Anna ! Elle s'en voulait terriblement de s'être écartée de ses bonnes résolutions et d'avoir cru Philippe lorsqu'il lui avait affirmé qu'il n'y avait rien entre Anna et lui. Mais au moins, ils n'avaient pas été surpris, pas vraiment, en tout cas. Et puis, même si Anna avait Philippe, les projets de Jacqui étaient en bonne voie, à commencer par le boulot à New York.

À son arrivée au cottage, elle trouva la chambre sens dessus dessous, et Mara au milieu du chaos, les cheveux en bataille et l'air affolé. Les draps, les oreillers et les couvertures s'entassaient aux quatre coins de la pièce. Toutes les affaires de Jacqui – chaussures, foulards, maillots de bain, sous-vêtements, mouchoirs et magazines – jetées sur le lit.

– Merde ! Qu'est-ce qui se passe ici ? Mara, tu veux bien m'expliquer ?

– Toi ! lança Mara en interrompant soudain sa fouille.

Elle oublia momentanément les boucles d'oreilles Elle avait quelque chose de plus important à régler avec Jacqui.

– Tu as toujours été au courant, pas vrai ?

– Moi ? Au courant de quoi ? De quoi tu parles ? demanda Jacqui, complètement perdue.

– Ryan et Eliza. Tu étais à Palm Beach. Tu savais qu'ils étaient sortis ensemble. Et tu ne m'as jamais rien dit ?

– Attends une minute ! répliqua Jacqui en avançant dans la pièce avec prudence, comme si Mara était un animal dangereux.

– Tu étais au courant, pas vrai ? répéta Mara, les yeux brillants de colère.

– Pour Ryan et Eliza. Oui. Mara, je suis désolée. Je voulais te le dire mais… je pensais que c'étaient pas mes oignons.

Mara réagit au quart de tour.

– Je te l'aurais dit, si ç'avait été ton petit ami !

– Mara, ce n'était pas ton petit ami. Tu avais rompu, tu te souviens ?

Mara n'avait rien à répondre à cela. Elle poussa un grognement et reprit ses recherches.

– Mais il se passe quoi, ici ? demanda Jacqui en faisant un pas de plus, levant les mains pour se protéger comme si Mara risquait de se jeter sur elle à tout moment. Pourquoi est-ce que tu as tout chamboulé ?

– Je cherche… mes boucles d'oreilles ! gémit Mara d'une voix déchirante.

– OK..., dit Jacqui en gardant les mains levées. Quelles boucles d'oreilles ?

– Celles que m'a prêtées Ivan, de la joaillerie Ivan. Celles que j'avais hier soir. Nicole Kidman les a portées aux Oscars. Elles valent deux cent cinquante mille dollars. Et il les leur faut pour demain !

– Celles que tu portais hier soir ? demanda lentement Jacqui.

– Oui, répliqua Mara, d'un ton impatient.

Jacqui était-elle sourde, ou quoi ?

– Elles coûtent si cher que ça ?

– Oui.

– Merde, dit Jacqui.

Elle commença à farfouiller parmi les affaires qui jonchaient le lit, afin d'aider Mara.

– Elles ne sont pas perdues. Je les avais ce matin. Je les ai retirées... et je les ai mises... là, expliqua Mara en désignant la commode. Tu ne les as pas vues ?

– Non... enfin..., bredouilla Jacqui en fourrageant dans une pile de sous-vêtements.

*Comment Mara pouvait-elle être si négligente ?*

– Je ne sais pas..., continua-t-elle. Je n'ai pas regardé.. je viens tout juste d'arriver.

– Bizarre. Toi qui as toujours l'air de savoir où se trouve tout ! rétorqua Mara en regardant avec insistance le foulard Pucci que Jacqui avait noué dans ses cheveux.

– Ça signifie quoi ?

– Tout ça est vraiment très bizarre, non ? Elles étaient là quand je suis partie... et elles ne sont plus là à mon retour.

253

Et ça n'a pas l'air de te déranger de te servir dans mes affaires, alors...

– Tu insinues que je les ai volées ? demanda Jacqui, pas certaine d'avoir bien compris les paroles de Mara.

– Je dis simplement qu'elles ne sont plus là. Et à part moi, il n'y a que toi qui possèdes la clé du cottage.

Jacqui ne s'était jamais sentie aussi insultée de sa vie. Elle fixa Mara, et celle-ci lui apparut comme une étrangère.

– C'est peut-être toi qui les as volées, dit froidement Jacqui, cherchant sciemment à blesser Mara.

– Pourquoi je ferais ça ? demanda Mara d'une voix effrayée.

Jacqui haussa les épaules. Elle abandonna le tas de vêtements dans lequel elle était en train de fourrager. Plus question d'aider Mara, à présent.

C'est alors que la porte s'ouvrit. Eliza entra, sans réaliser qu'elle entrait dans un champ de mines.

– Oh, regardez-moi ça ! Une autre sale garce ! dit Mara.

Elle avait eu tout le temps de maudire Eliza et Ryan, pendant qu'elle cherchait frénétiquement les boucles.

– Tu les as prises exprès pour me nuire, c'est ça ?

– De quoi tu parles ? demanda Eliza, perplexe.

Jacqui lui expliqua l'histoire des boucles d'oreilles.

– Écoute, Eliza. Je sais que tu m'as jalousée pendant tout l'été. Je sais que tu veux ce qui est à moi, mais j'aurais jamais cru que tu... Je pensais pas que tu ferais quelque chose d'aussi bas.

– Qu'est-ce que tu racontes ? demanda Eliza, se penchant en avant comme si cela pouvait l'aider à comprendre pourquoi Mara se montrait aussi mauvaise.

– Je sais tout au sujet de Palm Beach, lança Mara.

Eliza eut l'air surpris.

– Mais je croyais que tu savais déjà. Et que ça t'était égal.

– Qui t'a raconté ça ? siffla Mara.

– Sugar.

– Ça ne change rien, que je l'aie su ou pas. Je n'arrive pas à croire que tu aies pu me faire une chose pareille !

– Vous aviez rompu, Ryan et toi. Et j'avais l'intention de tout te raconter... mais Sugar et Poppy m'ont dit que tu étais déjà au courant et que tu t'en fichais... et...

Eliza s'interrompit en réalisant à quel point elle s'était trompée. Sugar avait menti, bien évidemment. C'était la spécialité de Sugar : mentir.

– Alors, tu trouves ça normal de sortir avec mon petit ami dans mon dos ?

– Ton *ex*-petit ami. Tu as un *nouveau* petit ami désormais, Mara. Tu as oublié, peut-être ? Et nous n'avons rien fait dans le dos de personne. Nous ne tenions pas à blesser qui que ce soit, c'est tout.

*Nous. Nous. Nous.* De toutes les paroles d'Eliza, c'est cela qui faisait le plus mal à Mara. Ce « nous » désignant Eliza et Ryan. Ils formaient donc bien un couple.

– Mais tu connaissais mes sentiments pour Ryan, dit Mara.

Elle aurait pu supporter l'idée qu'ils aient passé une nuit ensemble, à Palm Beach. Mais l'été entier... ensemble ? Dans son dos ? Comment Eliza avait-elle pu lui faire ça ?

– Tu savais que je l'aimais encore, dit Mara.

– Et comment je l'aurais su ? On ne s'est quasiment pas vues cet été.

– Ouais, tu as passé ton temps à m'ignorer, répliqua Mara.

C'était vrai. Eliza avait évité Mara. Au début parce qu'elle

255

avait mauvaise conscience. Et puis, au fil des jours, épuisée par son boulot et délaissée par Jeremy, elle avait trouvé le réconfort dans les bras de Ryan. Elle s'était servie de lui comme d'un pansement pour oublier Jeremy. Or, la blessure ne s'était jamais refermée : Eliza aimait toujours Jeremy. Or elle avait passé tout l'été avec Ryan, et perdu sa meilleure amie...

Mara, Eliza et Jacqui se foudroyaient du regard, s'en voulant à mort pour d'innombrables raisons.

# C'est ce qu'on appelle
# un beau salaud !

Mara avait fouillé le cottage de fond en comble, et passé au peigne fin les sentiers et les buissons autour de la piscine, ainsi que le parc du Country Club où elle avait emmené les gamins ce jour-là – bien qu'il parût très peu probable que les boucles fussent tombées toutes les deux. Au fil des jours, il devenait de plus en plus clair que quelqu'un avait dû les voler.

Mitzi Goober s'était remise à harceler Mara de coups de téléphone – son portable, le téléphone du cottage et celui de la demeure principale sonnaient en permanence. Chaque fois, Mitzi, ou l'une de ses assistantes, demandait à Mara de rappeler pour leur dire quand Ivan allait pouvoir récupérer ses boucles d'oreilles. Mitzi était même venue en personne, puisque la cérémonie des MTV Music Awards était prévue pour le surlendemain. Par chance, Mara avait emmené les gamins à la plage. Pour finir, Ivan lui-même avait appelé et, en hurlant, avait menacé de porter plainte.

On était jeudi soir, et Garrett était supposé passer la chercher à sept heures. Ils devaient se rendre au dîner que ses parents donnaient au restaurant Alison by The Beach pour fêter l'achat du scénario de *Casablanca dans l'espace* par une compagnie de production. Mais sept heures sonnèrent sans que la limousine apparaisse dans l'allée. Sept heures et quart. Sept heures et demie. Huit heures. Le dîner était censé commencer maintenant.

Mara consulta sa montre. Elle composa à nouveau le numéro de Garrett, qui ne répondit pas. Elle se sentait un peu ridicule à tourner en rond en attendant son arrivée, dans sa robe kimono Roland Mouret et ses escarpins à bout ouvert Prada. Elle décida donc de se rendre seule au dîner, avec la BMW. Sans doute était-il prévu qu'ils se retrouvent là-bas ?

Le restaurant était clair et aéré, avec son comptoir en cuivre, et ses draperies blanches suspendues au plafond. Les Reynolds avaient loué le restaurant pour la soirée. Mara remarqua que plusieurs personnes la regardaient bizarrement tandis qu'elle parcourait la salle des yeux, cherchant à apercevoir Garrett.

– Eh, tu sais où est Garrett ? demanda-t-elle à une fille qui sortait avec l'un de ses amis.

– Il est là-bas, répondit la fille. Mais... euh...

Mara l'ignora et se dirigea vers la table principale, au centre de la pièce, où Garrett était assis, sa chaise renversée en arrière, riant à gorge déployée. Elle alla vers lui et passa la main sur son bras.

– Euh... salut. Désolée d'être en retard, chuchota-t-elle.

Elle jeta un coup d'œil autour de la table. Il n'y avait pas de chaise libre.

Garrett tourna la tête, visiblement étonné de la voir.

– Mara, qu'est-ce que tu fais ici ?

– Je t'ai attendu. Je croyais que tu devais venir me chercher, répondit Mara, en se demandant pourquoi il la regardait comme ça.

Il lui avait parlé du dîner la semaine dernière, et lui avait fait promettre qu'elle y assisterait.

– Permettez-moi de m'absenter un instant, dit-il à la tablée, en entraînant Mara à l'écart.

Celle-ci remarqua une grande fille au physique exotique, qui les fusillait du regard.

– Attends... Tu es venue avec une autre fille ? comprit Mara.

– Tu n'as pas eu mon message ? chuchota Garrett d'un ton pressant, en l'éloignant davantage encore de l'assistance.

– Quel message ? demanda Mara en faisant un pas de côté, pour qu'un serveur puisse apporter un plateau chargé de coupes de champagne à une table voisine.

Il poussa un soupir, et se passa la main dans les cheveux.

– Je... euh... je suis vraiment désolé, Mara. Tu es une chouette fille et tout ça... mais tu comprends... il faut pas m'en vouloir.

– Pardon ? demanda-t-elle, en remarquant que tous les convives s'enfonçaient dans leurs fauteuils et que certains lançaient à Garrett des regards soucieux.

– Écoute, dit-il, sa patience visiblement à bout. Je ne peux pas me permettre d'être vu, pour le moment, avec quelqu'un comme toi. Mon père est constamment attaqué par les journaux au sujet de notre maison, et s'il découvre que la fille avec qui je sors...

Il laissa sa phrase en suspens.

– Quoi ? demanda Mara.

– Oh, Mara. Tout le monde sait que tu as volé les boucles d'oreilles, répondit-il avec un sourire. Je trouve ça géant !

259

Faire ça à Mitzi, en plus ! Sa société n'est pas assurée, pas vrai ? Sa carrière est à l'eau ! gloussa-t-il.

– Mais je n'ai pas volé les boucles d'oreilles. Ce n'est pas moi, protesta Mara. J'arrive pas à croire que tu puisses penser ça de moi !

– Écoute, bébé. Ce que je pense n'a aucune importance. Je te l'ai dit. Ça m'est égal, que tu les aies prises ou non. Je tiens simplement à garder une bonne image, surtout en ce moment. Mon père va être furieux si mon nom reste encore lié au tien cet été. C'était déjà assez gênant, toutes ces rumeurs au sujet de ton... tu sais... de ton milieu. Mais ça, c'est bien pire !

Mara secoua la tête. Elle ne comprenait rien aux paroles de Garrett. C'était quoi, ces histoires de milieu, de journaux et de bonne image ? D'ailleurs, comment savait-il, pour les boucles d'oreilles ? Enfin, Mara réalisa : elle était dans les Hamptons. Tout le monde était au courant de tout.

– Alors comme ça, tu me largues ?

– Mara, tu es une gentille fille. Et on a passé de bons moments, pas vrai ? dit Garrett avec un clin d'œil. Ça valait la peine, rien que par rapport à Perry.

– *Par rapport à Perry ?*

Mara s'apprêta à lui demander ce qu'il voulait dire par là, mais Garrett était déjà retourné à sa table. Il levait son verre pour porter un toast.

À lui-même, bien évidemment.

# Le Septième Cercle de l'enfer, en effet

– Tu vois cette table, là-bas ?

Eliza acquiesça en fixant le point que désignait Kartik. Ce n'était pas une simple table. C'était *la* table, celle sur laquelle Mara avait dansé le soir du cliché olé olé, et celle que Chauncey Raven réservait habituellement.

– Fais en sorte de les traiter aux petits oignons, dit Kartik.

Eliza hocha la tête et se dirigea vers la table, afin de leur souhaiter la bienvenue, à sa manière habituelle : après leur avoir fait un petit topo sur les services proposés par la boîte, elle leur remettait un cadeau de la maison – une bouteille du champagne le plus coûteux. Ce numéro ne manquait jamais d'impressionner les célébrités. Les hommes bavaient sur Eliza, en se demandant si elle était comprise dans les « services proposés », et les femmes tentaient de copiner avec elle, car presque toutes avaient été serveuses ou hôtesses avant de connaître le succès.

– Salut, je m'appelle Eliza. Je vous souhaite la bienvenue au Septième Cercle, commença-t-elle, avant de réaliser ce qui avait conduit Kartik à distinguer la table. Sheridan Dunlop ?

– Oh mon Dieu, Eliza !

Sheridan Dunlop était un an au-dessus d'elle à la Spence School mais elle avait laissé tomber ses études après sa terminale pour s'installer à Los Angeles. Depuis lors, elle décrochait tous les rôles de blondes BCBG, d'autant que Gwyneth Paltrow avait lâché le créneau pour devenir mère au foyer. Sheridan venait de recevoir une nomination aux Oscars pour son interprétation d'une prostituée sourde-muette. Elle était assise avec quelques-uns de ses vieux amis de New York et des Hamptons. Carolyn Flynn était là, ainsi que Taylor et Lindsay et... Jeremy ?

– Salut Eliza, dit-il d'un ton décontracté, en lui prenant délicatement la bouteille de champagne des mains.

Il était assis entre Taylor et Lindsay, et cette dernière avait la main sur le genou du garçon.

Eliza n'en revenait pas ! Pendant tout ce temps, elle avait cru que Jeremy sortait avec Carolyn, quand la réalité était bien pire. Lindsay... cette sale petite prétentieuse qui se donnait des airs, avec son nez mal refait et son rire de hyène. À sa façon de regarder Eliza, on aurait dit qu'elle venait de gagner un prix.

– Salut Jeremy. Heureuse de t'avoir revue, Sheridan ! lança Eliza en s'éloignant.

Elle retenait ses larmes et fumait d'une main tremblante, lorsque Jeremy la rejoignit dans le patio situé à l'arrière du bâtiment.

– Lize, dit-il, lui posant la main sur l'épaule.

– Elles t'utilisent, tu comprends ? bafouilla-t-elle. Ces filles-là sont... sont... ce ne sont pas de vraies amies. Elles veulent se servir de toi, c'est tout. Lindsay est loin d'être une personne honnête, tu sais.

Jeremy écarquilla les yeux et pinça les lèvres.

– Tu sais, je crois que tu n'es pas très bien placée pour parler d'honnêteté. Je suis au courant, pour Ryan Perry et toi.

Oh !

# Il y a des gens qu'on balancerait bien au fond d'un étang !

Le lendemain matin, Mara était censée aller se faire masser avec Sugar et Poppy au centre de naturopathie. Elle en avait bien besoin, avec tout le stress accumulé après la perte des boucles d'oreilles.

– Vous avez vu les jumelles ? demanda-t-elle à Laurie, qu'elle croisa devant la chambre des filles.

– Je crois qu'elles sont parties.

– Ah bon ? Comment ça ?

Cela faisait des semaines que les jumelles n'avaient plus de voiture.

– Il me semble qu'elles ont pris la BMW de Poppy, expliqua Laurie.

C'était sa BMW à elle, mais Mara ne se sentit pas le courage de discuter, d'autant que Laurie se montrait très froide depuis que Mitzi Goober l'avait prise pour son assistante, au tout début de l'été.

Contrariée, Mara entra dans la cuisine et se mit à feuilleter les journaux. « L'ÉTANG DE GEORGICA ASSÉCHÉ EN UNE NUIT ! » pouvait-on lire en gros titre sur le *East Hampton Star* daté du jour. L'étang de Georgica était un étang côtier situé sur une partie protégée du littoral, à moins de deux kilo-

mètres de l'océan. Ryan et elle avaient coutume de s'y prome-
ner l'été précédent, et les gamins adoraient qu'on les y
emmène. Il abritait également une colonie d'oiseaux en voie
de disparition, les pluviers siffleurs. Or, quelqu'un avait
creusé une rigole dans la levée de quinze mètres de haut qui
le bordait afin de drainer l'étang pendant la nuit. Il y avait
des photos prises « avant » et « après », et Mara ne reconnaissait même pas le marécage boueux sur le second cliché.

Ezra Reynolds était désigné comme le principal suspect car
il s'était plaint publiquement de l'étang, dont le débordement gênait, selon lui, l'avancée des travaux de sa propriété.
De plus, on lui avait refusé l'autorisation de le vider. L'article
rappelait que les habitants de Georgica « avaient coutume de
se considérer comme étant au-dessus des lois » et que le voisi-
nage comprenait des personnalités telles que Calvin Klein,
Martha Stewart, Steven Spielberg et Ron Perelman, lesquels
avaient tous fait diffuser des communiqués où ils affirmaient
n'y être pour rien. Seuls les Reynolds avaient gardé le silence.

Mara était profondément dégoûtée. Quel genre de personne
– de famille – pouvait faire preuve d'un tel égoïsme ? Pauvres
pluviers siffleurs ! Elle ramassa le *New York Post* et l'ouvrit
immédiatement à la page 6 pour lire la version people du
« Mystère de l'étang asséché ». Mais un autre article attira son
attention. « OÙ SONT PASSÉS LES DIAMANTS ? » Mara s'assit,
la gorge nouée.

*Quelle fille de milieu modeste – ayant troqué cet été son prestigieux
petit ami contre un autre encore plus fortuné – ne s'est pas donné le
mal de rendre les boucles d'oreilles d'une valeur de deux cent cinquante mille dollars qu'on lui avait prêtées ?*

C'était l'article classique de la page 6, où l'on ne citait pas de noms. Or, il indiquait un nombre incroyable de précisions :

*« Elle prétend les avoir égarées mais, si vous voulez mon avis, elle les a volées », a confié une source anonyme. « Je croyais que c'était une amie des sœurs Perry, mais elle vient d'une espèce de trou paumé. » Sugar Perry, questionnée à ce sujet, s'est contentée de répondre : « Vous savez, il y a tellement de gens qui prétendent être mes amis, alors que je ne les ai jamais vus de ma vie ! » « Exactement ! » a confirmé sa sœur Poppy, qui vient de se faire teindre les cheveux en brun.*

L'article donnait tous les détails excepté le nom de Mara, dont on devinait aisément l'identité.

– Je ne les ai pas volées ! s'exclama Mara, livide, dans la cuisine déserte.

Elle comprenait que les sœurs Perry ne l'aient pas attendue ce matin : elles l'avaient déjà envoyée à la casse. Le *Daily News* publiait lui aussi un article sur le scandale des boucles d'oreilles et un autre rédacteur la présentait comme une fille au pair avide et malhonnête.

Les réactions de Garrett et des jumelles, elle le savait, ne seraient que les premières d'une longue série. Mara ne s'était jamais sentie aussi déprimée et rejetée.

Il pleuvait des cordes lorsque Jacqui revint de son cours, ce soir-là. S'approchant du cottage, elle aperçut une silhouette qui tenait un parapluie et passait la pelouse au peigne fin à l'aide d'une lampe torche. Pauvre Mara ! Bien que Jacqui lui en voulût toujours, cela lui faisait de la peine de la voir s'acharner ainsi sous la pluie battante. Mais alors, un éclair

266

déchira le ciel et Jacqui réalisa que la silhouette était trop grande pour être celle de Mara.

C'était Ryan.

– Salut, s'écria Jacqui. Qu'est-ce que tu fais ?

– Oh, salut Jacqui, répondit Ryan en dirigeant vers elle le faisceau lumineux. J'ai perdu... euh... un de mes verres de contact, et je le cherchais.

– Je ne savais pas que tu portais des verres de contact, répliqua Jacqui.

Ryan haussa les épaules, et Jacqui eut un sourire triste.

Si seulement Mara savait à quel point Ryan l'aimait !

# Les pluviers siffleurs
## n'ont jamais été
## aussi en vogue !

Alan Whitman et Kartik ne purent résister au désir de se faire de la pub et, le week-end suivant le scandale de l'étang de Georgica, ils organisèrent au Septième Cercle une soirée caritative au profit des pluviers siffleurs – lesquels étaient désormais SDF.

Eliza trouva Jacqui au milieu de la foule et la serra dans ses bras. C'était la première fois que Jacqui mettait les pieds au Septième Cercle, et la façon dont Eliza gérait la foule et la salle l'impressionna. Ni l'une ni l'autre ne fit allusion à Mara, qui s'était montrée si blessante. Mais chacune savait que l'autre y pensait aussi.

Eliza vit Ryan entrer et s'avança vers lui. Ils ne s'étaient pas vus depuis une semaine. Entre-temps, Eliza avait cessé de lui en vouloir pour cette histoire d'« amitié avec avantages » et souhaitait qu'ils redeviennent amis.

– Salut, dit-elle en lui donnant un petit coup sur l'épaule.

Ryan s'efforça de sourire.

– Salut toi-même.

Elle l'embrassa sur la joue, frôlant sans le vouloir le coin de sa bouche.

– Je suis désolée pour l'autre soir

– Moi aussi je suis désolé, répliqua Ryan. Je n'avais pas réalisé... enfin... ce que je voulais te dire c'est... je t'aime vraiment beaucoup, Eliza. Et je sais pas ce qui m'a pris de te dire ça. Enfin... tu sais que pour moi, tu es plus qu'une amie. On peut former un vrai couple, si c'est ce que tu souhaites.

– Je sais, dit Eliza.

Ryan tendit les mains, et Eliza se jeta dans ses bras. Elle pressa la tête sur son épaule et il lui serra la taille plus fort. Cela aurait dû suffire, et pourtant... À cet instant précis, elle vit Jeremy et Lindsay pénétrer dans la salle VIP.

Jeremy avait plaqué ses cheveux en arrière et portait une veste de sport en cachemire marron et un jean foncé. Lindsay l'enlaçait d'une main ferme et le regardait avec adoration. Il se pencha pour lui chuchoter quelque chose à l'oreille. Lindsay s'esclaffa comme si elle n'avait jamais rien entendu de plus drôle. Eliza eut un serrement au cœur.

Ryan alla leur chercher à boire, et Eliza se tourna vers la vitre voisine. Dehors, de même que la veille, il pleuvait des cordes, ce qui n'empêchait pas la foule de s'amasser à l'entrée de la boîte, comme tous les soirs. C'est alors qu'elle aperçut Mara. Elle s'abritait sous un parapluie et l'un des larbins de Mitzi lui refusait l'entrée.

Eliza vit Mitzi Goober faire celle qui n'avait rien vu. Mara était l'une des rares personnes à se soucier réellement des pluviers siffleurs, et Eliza réalisait qu'il lui avait fallu bien du courage pour oser affronter une foule pareille. Jennifer Lopez avait arboré des boucles d'oreilles Harry Winston aux MTV Music Awards, et Mara avait été mise sur liste noire.

Les assistantes de Mitzi prièrent Mara de s'écarter de la file d'attente et Eliza se sentit, malgré elle, solidaire de son ancienne amie. Celle-ci se détourna lentement non sans avoir, auparavant, jeté un coup d'œil en direction de la fenêtre, à l'instant même où Ryan embrassait Eliza sur le front et lui tendait son verre.

*Ce n'est pas ce que tu crois*, songea Eliza. Elle aurait voulu sortir de la boîte et rappeler Mara, mais celle-ci s'éloignait déjà.

# Quelque chose va craquer !

Le lendemain matin, Jacqui et Mara furent réveillées par un craquement retentissant.

– Merde ! s'exclama Jacqui.

Elle rejeta ses couvertures et regarda par la fenêtre.

– Qu'est-ce qui se passe ? demanda Mara.

Ça faisait plusieurs jours qu'il pleuvait, mais là, c'était autre chose ! Le vent mugissait et se déchaînait contre les carreaux. Les deux filles s'étaient habillées en silence, puisque Jacqui refusait toujours d'adresser la parole à Mara. Elles coururent à la maison principale, où Laurie avait déjà allumé la télévision sur la chaîne info. L'ouragan Tiffany approchait depuis la Caroline du Nord. Au lieu d'avancer sur la terre ferme comme prévu et de perdre de la vitesse, il se déplaçait sur l'océan et gagnait en intensité.

– Il va nous atteindre ce soir, dit Laurie d'un ton sinistre. Il va falloir préparer la maison. Où sont les enfants ?

Philippe aida Laurie à trouver les volets extérieurs et entreprit de les clouer sur le bord des fenêtres.

Une inspection rapide du garde-manger révéla des carences en eau potable et autres produits de base. Laurie appela donc Ryan sur son portable pour lui dire de se rendre au supermarché

Home Depot le plus proche, et de faire le plein de bouteilles d'eau, de lampes de poche, de piles, de bougies, de serviettes de bain, de boîtes de conserve et de fruits secs.

Zoé se précipita vers Mara.

– J'ai peur ! dit-elle.

– Tout va bien se passer, ma chérie, répondit Mara en la serrant contre elle. Je dois m'en aller, mais je reviens tout de suite.

Car Long Island avait beau se préparer au passage d'un terrible ouragan, le ballet des agents et des publicistes ne cessait pas pour autant. Maintenant que Mara était tombée de son piédestal – et, à en croire la rumeur publique, avait été larguée par Garrett Reynolds –, tous les couturiers voulaient récupérer leurs vêtements. Sans délai. Ce qui signifie que Mara consacra la moitié de la journée à chercher des lampes de poche et des serviettes de toilette, et l'autre à courir au cottage et à rendre tous les paquets aux différents coursiers. Ce fut particulièrement humiliant, surtout lorsque l'une des assistantes de Mitzi vint s'assurer que rien n'avait été oublié.

– Ce chemisier Chloé n'a pas été nettoyé, dit l'assistante d'un ton revêche en le barrant sur l'une de ses listes. OK... il ne nous manque donc que le jean Sally Hershberger, les sandales strassées Manolo Blahnik, et le foulard Pucci, soupira-t-elle.

– Je... euh... je ne les ai pas, bredouilla Mara, consciente du mauvais effet que ça devait faire, après l'histoire des boucles d'oreilles.

Même le livreur en uniforme marron paraissait désolé pour elle.

– Très bien... je dirai à Mitzi que vous les avez volés aussi, dit l'assistante sur un ton sarcastique, avant d'ouvrir son parapluie et de ressortir.

Jacqui ne put que remarquer le manège, à l'extérieur du cottage. Elle avait les bras pleins de matériel pour renforcer la porte d'entrée et adressa à Mara un signe de tête, alors que celle-ci conduisait l'assistante au garage pour rendre la BMW.

Poppy et Sugar rentraient justement à ce moment-là, au volant de la voiture. Quand elles comprirent que Mitzi voulait la récupérer, toutes deux grimacèrent de dépit.

– Comment ça, elle veut la récupérer ? gémit Sugar, avant de rendre les clés. Mais c'est nous qui l'utilisons à présent !

– Tu es vraiment trop bête, Mimi, lui lança Poppy tandis que, plantées devant la porte ouverte du garage, elles regardaient la BMW s'éloigner dans l'allée.

*Vous n'avez pas idée à quel point !* songeait Mara.

# Eliza sait faire la part des choses

À midi, le ciel était complètement noir, et les rues étaient désertées. Tout le monde s'était calfeutré chez soi pour se préparer à la pire tempête de l'année. Eliza se tenait sur la terrasse de sa maison de location. Emmitouflée dans une parka avec l'écusson de la Spence School, elle guettait l'arrivée de Ryan, au volant de la Porsche. Ses parents lui avaient demandé d'aller chercher des réserves, et Ryan avait proposé de venir la chercher.

Ryan lui ouvrit la portière du côté passager. Lui aussi portait un coupe-vent de couleur jaune à l'insigne de son lycée, avec son jean et ses sempiternelles tongs. Il lui dit quel chaos c'était, chez lui. Aucune des lampes de poche ne fonctionnait, et plusieurs des fenêtres n'étaient pas équipées contre les tempêtes. De plus, l'eau avait commencé à s'infiltrer dans la maison, car ils n'avaient plus assez de serviettes pour calfeutrer la porte.

– C'est pareil ici. On s'imaginerait que les gens qui louent cette maison sont équipés, mais on n'a rien trouvé à part deux, trois bricoles, dit Eliza.

– Anna est en pleine crise de nerfs, à l'idée d'une coupure de courant. Elle ne peut pas vivre sans son sèche-cheveux !

Eliza gloussa. Elle croisa le regard de Ryan, et tous deux rirent de plus belle.

Ils roulaient lentement sous la pluie battante. Toutes les voitures semblaient se diriger vers le même point. Lorsqu'ils arrivèrent au supermarché, il ne restait plus une seule place sur le parking. Par chance, une Bentley s'en allait justement à ce moment-là, un générateur attaché sur son toit, et Ryan put se garer.

La pluie ruisselait sur les vitres. Les arbres ployaient sous le vent. La tempête faisait rage, secouant le 4 × 4.

– Bon Dieu, regarde-moi ça ! s'exclama Ryan, lorsque le vent projeta un parasol à travers le parking.

– Je sais. C'est de la folie, approuva Eliza. Et il y a un autre truc qui est fou, tu sais quoi ?

– Quoi ?

Ryan ne voyait pas du tout où elle voulait en venir.

– Toi et moi.

Ryan cessa de sourire.

– Qu'est-ce que tu veux dire par là ?

Eliza regarda Ryan. Ses cheveux avaient beau être plaqués sur son front, il était toujours aussi beau. Mais justement, ils étaient presque trop bien ensemble. Trop semblables. Eliza aspirait au mystère, à la spontanéité... Elle voulait le genre de garçon capable de se faire embaucher comme serveur dans une soirée, rien que pour pouvoir être près d'elle. Et Ryan avait beau être merveilleux, il n'était pas ce garçon-là.

– Tu n'es pas amoureux de moi.

Ryan se mit à protester.

– Et moi non plus, je ne suis pas amoureuse de toi, l'interrompit-elle.

275

– Aïe ! plaisanta-t-il en portant une main à son cœur comme s'il souffrait affreusement.

– Cet été... tout s'est passé de façon si bizarre, tu ne trouves pas ? Je pensais que ce serait un des meilleurs moments de ma vie, dit Eliza en s'enfonçant plus profondément dans son siège. J'avais décroché un super boulot, et il s'est avéré qu'il est complètement nul. Je préfère m'occuper d'enfants que m'occuper de célébrités. Crois-moi, William est moins capricieux. Tu as déjà essayé de retirer sa bouteille de champagne à une star ? demanda-t-elle en riant.

Eliza ?

Elle tourna la tête vers lui.

– Ouais ?

– Tu es la fille la plus chouette que je connaisse.

Ryan se pencha et prit dans ses mains le menton d'Eliza. Puis il lui baissa la tête et, de ses lèvres, frôla son front.

– Amis, alors ?

– Bien sûr. Arrête, ça chatouille !

Ils s'aimaient – comme des amis – et Eliza eut le désir soudain de voir Ryan heureux. Elle lui jeta un nouveau coup d'œil. Il était grand, beau, riche et intelligent. Ils se connaissaient depuis l'enfance, et c'était le genre de mec avec qui ses parents avaient toujours désiré la voir se caser un jour, or Eliza savait que Ryan et elle n'étaient pas destinés l'un à l'autre.

Ryan la serra contre lui et Eliza, pressant sa joue contre celle de son ami, lui chuchota :

– Je sais que tu m'aimes, mais je sais également que tu es amoureux de quelqu'un d'autre.

Il relâcha lentement son étreinte et poussa un soupir.

– Je ne vois vraiment pas de quoi tu parles, dit-il en s'arrachant une petite peau de l'ongle.

– Cette fille que nous aimons tous deux, cette fille dont tu es amoureux, elle est toujours là, insista Eliza. Je t'assure. Moi aussi, je lui en ai voulu, mais elle est toujours là.

Ryan haussa les épaules.

– Mara n'est plus la même personne à présent. Elle a laissé les Hamptons lui monter à la tête. Elle a changé.

– Écoute, quand on a été la coqueluche du moment, on ne peut pas s'en tirer sans dommage. Crois-moi, je suis bien placée pour le savoir ! Il n'y a pas une fille qui ne prendrait pas la grosse tête ! Mais je crois encore en elle. Je ne le lui ai pas dit, parce qu'on est plus ou moins fâchées ces temps-ci... mais je crois que si elle a rompu avec toi, c'est parce que... eh bien, c'est parce qu'elle ne se sentait pas à la hauteur.

Eliza dit tout cela d'une seule traite, sans oser regarder Ryan. Elle finit par le faire. Son visage était demeuré impassible.

– Elle sort avec Garrett à présent, répliqua Ryan sur un ton sans appel.

Eliza comprit aussitôt qu'elle avait vu juste. Aucun doute là-dessus : Ryan était encore amoureux de Mara.

Eliza examina Ryan. Ils étaient plus proches qu'ils ne l'avaient jamais été. Peut-être cette « amitié avec ses avantages » avait-elle un sens plus profond qu'ils ne l'auraient cru ?

– Bon, on ferait mieux d'y aller avant que les choses se gâtent, dit Ryan.

– Au fait, Mara et Garrett ont rompu Je suis surprise que

tes sœurs ne t'en aient pas parlé. Est-ce qu'elles ne sont pas raides dingues de lui ?

– Eliza, je ne comprends même pas comment on peut faire partie de la même famille !

Ils s'engouffrèrent dans le supermarché. Or, il ne restait plus rien : ni attaches métalliques, ni panneaux de bois, ni bâches, ni lampes-tempête, ni bougies, ni piles, ni réchauds à gaz, ni générateurs, ni cordes, ni clous, ni sacs de sable...

– Que se passe-t-il ? demanda Eliza à un vendeur vêtu d'un gilet orange.

Celui-ci haussa les épaules.

– Quelqu'un a tout raflé, dit-il en désignant un gars qui, s'appuyant au comptoir, signait un interminable reçu de carte bancaire.

Garrett Reynolds leva les yeux et fit signe à Ryan et Eliza.

# Comme l'a dit Oscar Wilde, les vrais amis vous frappent par-devant

Poppy ne s'était toujours pas remise d'avoir perdu « sa » voiture lorsqu'elle et Mara coururent dans la maison pour échapper aux violentes rafales.

– C'était tellement humiliant ! On ne m'a jamais traitée de façon aussi humiliante ! Est-ce qu'ils savent qui je suis ? se lamentait-elle en se battant avec son parapluie.

Mara essorait ses cheveux trempés lorsque quelque chose de clair et d'étincelant attira son regard. Quelque chose que Poppy portait aux oreilles. D'énormes pierres précieuses. Des diamants si lourds qu'ils déformaient le lobe de ses oreilles, et d'une si belle eau qu'ils rayonnaient de mille feux dans la grisaille du hall d'entrée.

– Poppy, dit Mara, tendant la main vers les boucles d'oreilles. Où est-ce que tu as trouvé ces boucles ?

Poppy porta aussitôt les mains à ses oreilles.

– Oh, celles-ci... ? Euh... je te les ai empruntées... Elles étaient sur ta commode. Je t'avais prêté mon sac à main, alors j'ai pensé que si tu empruntais mes affaires, je pouvais emprunter les tiennes, dit-elle avec un gloussement haut perché. Pourquoi ?

Poppy se comportait comme si elle avait subitement oublié

279

que sa sœur et elle snobaient Mara depuis deux jours, sans parler des propos cités dans la page 6.

– Elles ne sont pas à moi, dit Mara d'un ton atterré.

– Ah bon ? répliqua Poppy en battant des cils avec candeur.

– Elles appartiennent à Ivan. Elles valent deux cent cinquante mille dollars. Tu n'as pas lu la page 6 ? Tu es pourtant citée dedans. Les gens pensent que je les ai volées.

Poppy feignit l'innocence.

– Je ne sais vraiment pas de quoi tu parles. Allons nous réchauffer ! Je suis morte de froid !

– Une seconde. Je veux que tu me les rendes ! dit Mara d'un ton catégorique, en tendant la main.

– OK, fais pas ta casse-pieds ! Mince alors ! rétorqua Poppy.

Elle retira les boucles et les posa d'un geste brusque sur la paume de Mara.

Mara se contenta de la fixer. Poppy était la personne la plus impitoyablement, la plus agressivement égoïste qu'elle eût jamais rencontrée. Et c'était ce genre de personne qu'elle avait tenté d'impressionner tout l'été ! Mara était écœurée d'avoir perdu tout ce temps.

– Allez, Mimi, fais pas ta mauvaise tête ! Je te les ai empruntées, c'est tout ! dit Poppy, sur la défensive.

– Ne m'appelle pas comme ça ! siffla Mara, la bousculant pour se diriger vers le téléphone.


Lorsque le coursier eut récupéré les boucles d'oreilles, Mara éprouva un tel soulagement, une telle joie, qu'elle ne savait comment les manifester. Elle se sentait libérée, soulagée d'un poids terrible. Elle regardait s'éloigner le camion marron quand elle tomba sur Jacqui, qui s'apprêtait à faire quelques courses avant que l'ouragan ne frappe pour de bon.

– Jacqui ! Oh mon Dieu ! Jacqui ! s'exclama Mara.

Elle se précipita vers elle, la saisit par les bras et la fit tournoyer.

– Quoi ? Qu'est-ce qui s'est passé ?

Elles ne s'adressaient plus la parole depuis une semaine et, pendant tout ce temps, elle n'avait pas vu Mara sourire une seule fois.

– Jacqui ! Je suis la reine des idiotes ! J'ai été horrible avec vous ! Je suis vraiment désolée ! Poppy... c'est Poppy qui avait pris les boucles. Je sais pas si elles étaient au courant... je sais pas si elles l'ont fait exprès. Je pense que oui, mais je suis vraiment désolée d'avoir cru... d'avoir pensé que tu avais... je dois être cinglée !

Jacqui haussa les sourcils. Les sœurs Perry. Évidemment ! C'est dans les chambres des jumelles qu'elles auraient dû commencer par chercher.

– C'est bon, dit-elle à Mara.

– Je tiens à ce que tu saches que je suis vraiment, vraiment, vraiment désolée. Mais vraiment, vraiment, vraiment...

– C'est bon, Mara. Je te pardonne, l'interrompit Jacqui, en lui prenant la main.

– C'est simplement que... je suis tellement gênée. Je regrette que tout cela soit arrivé.

– Écoute, les choses n'arrivent pas sans raison. Ne t'inquiète pas ! dit Jacqui en la serrant contre son cœur. Mais tu n'as pas fini de faire des excuses, *chica*.

Jacqui avait raison. Ce n'était que le début.

# Quoi de plus sexy qu'un type avec un marteau ?

Au moment où Eliza et Ryan s'apprêtaient à quitter le magasin, bredouilles et sans illusions, une voix familière les interpella.

– Eh, les amis, vous cherchez à vous équiper ? demanda Jeremy.

Lui aussi avait été pris au dépourvu par la razzia des Reynolds. Il s'avança vers eux, vêtu d'un poncho en nylon imperméable et d'un chapeau de pêcheur froissé.

– Ils n'ont plus rien, dit Eliza.

– Oui, mais je sais où on peut trouver le nécessaire. Il y a un magasin Target, à Riverhead, qui vend des fenêtres anti-tempête et tout le reste. La plupart des gens ne le connaissent pas, dans les Hamptons, parce qu'il est sur la bretelle nord. Ça vous dit de me suivre ? Faut prendre l'autoroute du nord jusqu'à la sortie « Riverhead », et c'est juste là.

Il frotta les mains sur son jean, qu'il avait rentré dans ses grosses bottes en caoutchouc.

Eliza le remercia d'un hochement de tête, et Ryan et elle suivirent le véhicule de Jeremy sur l'autoroute inondée. Il y avait beaucoup moins de voitures roulant dans cette direction, et ils ne tardèrent pas à arriver à destination.

À l'intérieur du magasin, difficile d'imaginer qu'un ouragan se préparait. L'atmosphère était gaie et lumineuse, et les rayons regorgeaient des choses dont ils avaient besoin. Plusieurs autres personnes faisaient leurs courses, mais il y en aurait largement assez pour tout le monde. Les trois jeunes gens échangèrent un sourire complice.

– Qui va installer vos fenêtres ? demanda Jeremy à Eliza, alors qu'ils s'approvisionnaient tous deux en lanternes et en fioul.

– Mon père, répondit Eliza, bien que son père n'eût pas loin de soixante-dix ans.

– Je vais le faire, dit doucement Jeremy. Écoute mon pote, je vais raccompagner Eliza, ajouta-t-il en se tournant vers Ryan. Sa maison est sur mon chemin, de toute manière.

– Ça te va, Eliza ? demanda Ryan.

– Super, dit Eliza.

Son cœur battait à tout rompre.

Ryan l'étreignit brièvement.

– Bonne chance ! Et ne vous faites pas tremper ! leur lança-t-il.

Eliza grimpa dans la camionnette de Jeremy. Les sièges de cuir étaient usés, et elle ne ressemblait en rien à la Porsche de Ryan, avec son intérieur cuir et son écran de navigation. Mais, comme Jeremy, elle sentait bon la terre et la sève de pin. Eliza adorait cette odeur.

Ils roulèrent en silence jusqu'à la maison de location de Westhampton. Les parents d'Eliza étaient en proie à la panique. Sans personnel à qui donner des ordres, les Thompson ne savaient absolument pas quoi faire. La télévision ne marchait plus, et les plombs avaient sauté Par chance, Jeremy dénicha vite le disjoncteur dans la cave et parvint à rétablir le courant.

– Dieu soit loué ! dit Mme Thompson, en tripotant nerveusement son collier de perles.

– Je ne sais pas combien de temps ça va tenir, mais il faut vite en profiter, déclara Jeremy. On risque d'être bientôt privés d'électricité.

Eliza regarda le jeune homme installer les fenêtres anti-tempête. Il frappait à coups de marteau, fixait, réussissait à décrypter des instructions compliquées. Elle espérait que ses parents comprendraient ce qu'elle lui trouvait.

Il s'occupait des fenêtres du grenier lorsqu'elle lui apporta une bouteille d'eau.

Elle est tiède, je suis désolée.

Non, c'est parfait. Je te remercie, dit-il en essuyant la sueur sur son front.

Il se pencha sur le clip de fixation et appuya de toute la force de son corps. Le joint s'enclencha du premier coup dans la fenêtre, et il eut un sourire de satisfaction.

– Voilà. Ça devrait tenir le coup ! Vous avez assez de serviettes, hein ? Et une radio ?

– On a une microtélé qui fonctionne sur batterie. Mon père l'a trouvée dans la cave. Je crois qu'on a tout ce qu'il faut.

Jeremy hocha la tête.

– Tant mieux.

Il s'assit par terre et but l'eau à grands traits.

– Qu'est-ce qui t'a pris cet été ? demanda Eliza, en s'asseyant près de lui sur la moquette.

– Qu'est-ce qui m'a pris ? Qu'est-ce qui t'a pris à toi, tu veux dire ? répliqua Jeremy en grattant l'étiquette de la bouteille.

– Je ne sais pas… On aurait dit que tu m'évitais. Je pensais que tu ne voulais plus de moi, avoua-t-elle. Tu n'appelais jamais. Tu ne cherchais même pas à me voir.

– Eliza, si j'ai fait ce stage chez Morgan Stanley, c'est pour une seule raison : je voulais devenir quelqu'un que tu pourrais respecter. Je voulais devenir quelqu'un… de ton *monde*, expliqua Jeremy en mimant des guillemets lorsqu'il prononça le mot « monde ».

– Tu as fait ça pour moi ?

– Oui, mais il s'est avéré que ça ne suffisait pas. Tes parents me l'ont très vite fait comprendre à ce dîner. Alors, j'ai songé « Pourquoi faire des efforts, alors qu'ils ne changeront jamais d'avis à mon sujet ? », dit-il avec un haussement d'épaules.

– Pourquoi faire des efforts ? demanda Eliza d'un ton incrédule. Parce que je ne pense pas comme mes parents, voilà pourquoi ! Et c'est assez lamentable de juger quelqu'un sur sa famille. On n'est pas responsable de son milieu.

Jeremy eut l'air embarrassé, puis finit par lâcher :

– Ouais, mais alors j'ai appris, pour toi et Ryan, et par conséquent…

Ce fut au tour d'Eliza d'être gênée.

– Tu m'as manqué, dit-elle sans se démonter.

– Toi aussi, tu m'as manqué, admit-il à son tour. Je t'ai vue à la télé hier soir, ajouta-t-il soudain, sur un ton badin.

– Ah oui ? Où ça ? s'étonna Eliza.

– Dans l'émission de Sugar. Tu voulais récupérer une robe, et elle refusait de te la donner, répondit-il en riant. Et à la fin, il y avait ce vieux couturier français avec de grosses lunettes noires qui disait qu'il n'habillerait plus jamais Sugar Perry. C'était assez rigolo.

285

– *Karl Lagerfeld* ? demanda Eliza, mais Jeremy se contenta de hausser les épaules.

Peut-être Sugar serait-elle enfin punie ?

Eliza regarda Jeremy. Même quand il parlait d'une émission de télé débile, il restait dix fois plus touchant que tous les gens qu'elle avait connus dans sa vie. Il lui avait tellement manqué.

– C'est juste que... tu avais l'air tellement occupé, dit-elle en tirant timidement sur la jambe de son pantalon.

– Ouais, tu m'étonnes. Je détestais ce boulot. De toute façon, j'ai démissionné. Tu n'imagines pas le nombre de conneries qu'il faut avaler. Je bosse à nouveau chez les Perry l'été prochain.

– C'est vrai ?

– Ouais, je viens de le leur dire.

Il but l'eau qui restait, et reposa la bouteille vide.

Eliza n'avait pas encore fini d'assimiler toutes ces informations.

– Je croyais que tu ne m'aimais plus, dit-elle.

– Eliza, qu'est-ce que tu racontes ? Je suis fou de toi. Depuis le jour où je t'ai vue pour la première fois, au bord de la piscine des Perry.

– Et Carolyn ? Et Lindsay ? Qu'est-ce que tu faisais avec elles ?

– Je les ai rencontrées au boulot. Carolyn est chouette. Et vous aviez les mêmes amis, elle et toi. Je m'imaginais... je me disais que ça t'impressionnerait, que je connaisse des gens que tu connaissais. Lindsay, c'était rien du tout. Si je suis sorti avec elle, c'est uniquement pour te rendre jalouse, comme tu étais avec Ryan.

286

– Ryan et moi... nous ne sommes pas... il n'y a rien entre nous. On est amis, rien de plus.

– C'est vrai ? demanda-t-il, plein d'espoir.

– C'est vrai, répondit-elle d'une voix assurée.

– Alors comme ça... vous ne sortez pas ensemble ?

– Non.

Mais Eliza devait tout lui dire.

– Enfin... on ne sort plus ensemble. Il est super, mais voilà... c'est toi que je veux.

Jeremy sourit, de son joli sourire en biais. Le visage d'Eliza s'illumina et, le plus naturellement du monde, ils s'embrassèrent. Jeremy lui caressa les cheveux. Eliza posa la main sur sa joue, réchauffant sa paume contre la peau de Jeremy tandis que, dehors, l'ouragan faisait rage et ébranlait la maison.

– Je t'aime, dit-il. Tu es la seule fille qui compte pour moi.

Une telle joie envahit Eliza qu'il lui semblait que son être ne suffisait pas à la contenir. Et lorsqu'il l'embrassa à nouveau, elle se sentit aussi légère que l'air, comme une bulle de champagne qui s'échappe d'une bouteille et s'élève en dansant vers le plafond.

# Mara dépouille les riches pour tout donner... euh... aux riches !

À cinq heures, il n'y avait plus ni lumière, ni serviettes de toilette pour empêcher l'eau de s'infiltrer dans la maison par les interstices de la porte. Les gamins commençaient à s'agiter. Mara avait passé l'après-midi avec eux à jouer au jeu des sept familles. William se tenait tranquille pour une fois. Zoé avait le chic pour gagner, et Cody lui-même se taisait. Quant à Madison, elle avait trouvé un paquet de chips et s'était mise à en manger, comme les autres !

Un vrombissement de moteur ébranla la maison depuis l'allée. Tous se précipitèrent à la fenêtre. Un énorme camion du supermarché Home Depot se garait devant la propriété des Reynolds.

Mara tombait des nues. Ryan avait appelé Laurie pour dire qu'il ne restait plus rien au magasin. Elle n'avait qu'à regarder le camion pour comprendre ce qui s'était passé.

– Venez, les enfants ! s'exclama-t-elle en les rassemblant. On va faire un raid !

Après s'être assurée que les gamins étaient tous chaudement vêtus de pulls et d'imperméables, elle les emmena dehors. Il pleuvait à verse, et cela ne tarderait pas à se déchaîner pour de bon. Elle leur fit franchir la haie séparant les deux propriétés et emprunter le passage secret que lui avait montré Garrett, lequel menait au sous-sol du château des Reynolds.

Les gamins étaient fous de joie. Mara et eux gagnèrent le rez-de-chaussée, depuis le sous-sol. Elle entrouvrit la porte de la cuisine. La voie était libre !

– Venez ! dit-elle.

Elle les conduisit à l'une des salles de bains situées à l'étage. Là, les étagères contenaient une telle quantité de serviettes de toilette qu'on se serait cru dans une boutique de linge de maison. Mara commença à faire le plein de serviettes, les passant au fur et à mesure aux enfants.

– Tu fais quoi ? demanda Garrett d'une voix décontractée, en entrant dans la salle de bains, une bière à la main.

Il lui parut blafard, dans sa chemise Oxford blanche.

Mara le regarda. Elle se rappela ses remarques blessantes, la façon dont il l'avait tout de suite crue coupable d'avoir volé les boucles d'oreilles, et dont il l'avait larguée sans prendre le temps d'écouter sa version de l'histoire.

– Vous êtes trop bien équipés, chez toi. Vous n'avez pas besoin de tout ça. Nous si. Alors, on le prend, répliqua Mara, comme si c'était l'évidence même.

– Vous n'avez pas le droit de faire ça, dit-il, sur un ton toujours ironique et détaché.

– Très bien. Dans ce cas je vais te le demander gentiment. On peut vous prendre des serviettes ? S'il te plaît ?

– Non, rétorqua-t-il sèchement. Maintenant, tirez-vous, toi et les gosses, ou bien j'appelle les gardiens !

– Désolée Garrett, mais ça ne va pas se passer comme ça, dit Mara. William ?

– Oui ? fit le petit garçon.

– Tu te souviens de cette prise qu'on t'a enseignée, dans ton cours de boxe française ? demanda-t-elle, en se baissant pour être à son niveau. Tu ne crois pas que c'est le moment de nous faire une démonstration ?

À peine William eut-il compris ce que Mara lui demandait qu'un sourire diabolique s'afficha sur son visage.

– *Hiii-yaaa !!!* s'écria-t-il, s'élançant sur Garrett et lui balançant un sévère coup de pied dans le ventre.

Garrett était plié en deux sous l'effet de la douleur.

– Dans le mille ! hurla William.

Avant de partir, Mara remarqua quelque chose qui brillait... ses sandales strassées, qu'elle ne trouvait plus, derrière la porte de la salle de bains. Elle les ramassa, triomphante. Mitzi ayant déjà fait une croix dessus, elle pourrait les garder.

– Salut Garrett ! lança Mara dans un éclat de rire.

En ressortant les bras chargés, ils virent sortir de leur voiture un couple d'âge mûr, qui vivait un peu plus haut. Ceux-ci remarquèrent les sacs que portaient Mara et les enfants.

– Eh, où est-ce que vous avez déniché tout ça ? Ils n'ont plus rien, au supermarché !

– Tenez, servez-vous... On en a largement assez ! dit Mara gaiement, en leur passant deux sacs en papier remplis de piles et de bouteilles d'eau.

Ils se hâtèrent de retourner dans la maison, radieux, victorieux, et enchantés du résultat de l'expédition.

– On a trouvé de l'eau ! s'écria Mara, entrant fièrement dans la cuisine et déposant deux bombonnes de quatre litres sur la table. Oh !

Son visage se décomposa.

Sur le plan de travail étaient entassés une quantité de bouteilles, de serviettes, de piles et de bois de cheminée. Il y avait
aussi des bougies, du fioul, des lampes-tempête, plusieurs
miches de pain, du thon et des haricots en conserve, des serviettes, de la corde et des lampes de poche. Les gamins,
enchantés, se jetèrent sur les paquets de chips et de snacks
en tout genre.

Ryan se tenait au milieu de la cuisine, et rangeait des plats
de pâtes déshydratés.

– Eliza et moi avons trouvé un magasin ouvert, expliqua-
t-il, sans la regarder.

– Oh... oh, super.

Elle s'apprêtait à quitter la pièce, lorsqu'il la rappela.

– Attends, je veux... il faut qu'on parle, dit-il.

Il fit volte-face et, pour la première fois, Mara vit à quel
point il était malheureux.

# Un chevalier
# en imperméable jaune

– Merde ! s'exclama Jacqui.

Elle venait de mettre le contact et le moteur de la petite voiture hybride avait émis un vague crachotement, avant de caler. Tous, chez les Perry, comptaient sur sa faible consommation d'essence (moins de cinq litres aux cent kilomètres), et Jacqui ne souvenait pas que quiconque se soit donné le mal, cet été, d'y remettre du carburant. À présent, il n'y en avait plus, et Jacqui était dans la mouise. Elle était coincée sur la route 27, et la tempête devenait de plus en plus violente.

Elle tenta d'appeler chez les Perry, mais ça sonnait dans le vide – le téléphone avait sans doute été coupé. Elle essaya le portable d'Eliza, pour tomber directement sur la messagerie. En désespoir de cause, elle décida d'appeler Philippe, bien qu'elle lui en voulût encore. Elle aurait préféré ne pas avoir affaire à lui, d'autant plus qu'il ne lui avait même pas donné d'explications quant à son départ du motel. Lorsqu'ils s'étaient croisés dans la maison, il s'était comporté avec elle comme si tout cela n'avait jamais eu lieu.

Elle composa le numéro.

– Allô ? Allô ? Philippe ? Écoute, c'est Jacqui, j'ai besoin de toi, c'est urgent.

– Allô ? Qui parle ? demanda une voix féminine.

– Euh... c'est Jacqui.

C'était quoi, ce délire ? Pourquoi n'était-ce pas Philippe qui répondait ?

– Eh bien, pour une mauvaise surprise..., dit la voix d'Anna, mielleuse à souhait. Désolée de vous l'annoncer, mais Philippe a fermé boutique.

Clic.

*Quezaco* ? Jacqui raccrocha d'une main tremblante. Anna Perry ? Alors elle réalisa. Elle venait d'être surprise – ou du moins, Anna pensait l'avoir surprise ! C'était presque comique. Après avoir passé tout l'été à embrasser le beau Français en douce, elle venait d'être prise en flagrant délit, alors que Philippe et elle avaient cessé de se fréquenter.

Jacqui soupira, en prenant conscience de ce que ça signifiait. Elle pouvait dire « adieu » à ce boulot, à New York. Adieu les Perry, adieu Stuyvesant, adieu la fac ! Elle avait tout fichu en l'air à cause d'un mec. D'un mec qui n'en valait même pas la peine. D'un mec qui était, de toute évidence, l'amant de leur employeuse. Tout son avenir était à l'eau !

Elle regarda par la vitre et frissonna lorsqu'un éclair déchira le ciel. Elle composa un autre numéro, espérant, sans trop y croire, que la personne allait décrocher.

Un quart d'heure s'écoula, puis une demi-heure, puis quasiment une heure. La voiture était ballottée par le vent. Il allait falloir qu'elle sorte de là rapidement, avant que le véhicule ne soit emporté par la montée des eaux.

Enfin, alors qu'elle venait d'abandonner tout espoir, les phares d'un puissant 4 × 4 percèrent le brouillard. Un garçon en imperméable jaune se précipita vers la Toyota.

– Ça va ? cria Kit, encapuchonné dans son coupe-vent.

Elle hocha la tête. Il l'aida à sortir de la voiture. Ils pataugèrent jusqu'au 4 × 4, de l'eau jusqu'aux chevilles. Kit ferma soigneusement la portière de Jacqui, et contourna le véhicule pour s'installer au volant.

– Je te remercie du fond du cœur, dit Jacqui. Je suis vraiment désolée de t'avoir dérangé.

– C'est un plaisir, répliqua Kit, le sourire aux lèvres.

Jacqui lui rendit son sourire et, pour la première fois, se sentit troublée  Peut-être était-ce simplement le soulagement d'avoir finalement été secourue... Toujours est-il qu'elle ne cessa pas de sourire, tandis que Kit roulait sur des routes inondées.

Il lui expliqua que toutes les routes menant aux Hamptons étaient bloquées, et qu'ils feraient mieux de se rendre chez ses parents à Wainscott. C'est ainsi qu'ils débarquèrent dans la propriété des Ashleigh qui était, de toute la rue, la seule demeure illuminée. Si le terrain entourant la maison était impressionnant, la maison en elle-même, de style très moderne, consistait simplement en un bloc de béton allongé, aux proportions modestes, dont les baies vitrées donnaient sur l'océan. Kit expliqua à Jacqui qu'elle avait été conçue par le meilleur ami de son père, un célèbre architecte. De toute évidence, elle était suffisamment petite – moins de trois cents mètres carrés – pour que le générateur qu'ils avaient installé fournisse la demeure en électricité plusieurs semaines d'affilée.

Kit gara la voiture dans le garage adjacent et introduisit Jacqui dans la maison par la cuisine, où sa mère était en train de préparer le dîner sur une belle cuisinière à gaz, dans une cuisine ouverte sur le séjour. Contrairement à la demeure des Perry, la maison des Ashleigh était un véritable foyer, un lieu où les gens vivaient, non un décor digne d'un magazine de luxe.

Il y avait bien une immense toile noire sur le mur, forcément une œuvre d'art très coûteuse, quelques divans design et des chaises en cuir et métal chromé, mais il y avait aussi un journal ouvert sur la table basse, des poils de chien sur le divan et des tasses de café sur les dessertes. Les étagères étaient recouvertes de livres et seuls quelques disques de platine encadrés, discrètement accrochés dans un coin, laissaient deviner que le père de Kit était un important producteur de musique.

– Bonjour mon chéri. Oh, c'est ton amie ? demanda gentiment la mère de Kit. C'est affreux là-dehors, non ? Vous devez être gelés. Christopher mon chéri, tu ne veux pas aller chercher un pull et un pantalon dans mon placard, pour que Jacqui puisse se changer ?

On était loin de l'agitation frénétique et désordonnée qui régnait chez les Perry. Il n'y avait pas non plus de serviettes sous les portes. La maison était une sorte de bunker, une oasis d'art, de lumière et d'exquise nourriture italienne.

Jacqui la remercia, se sentant indigne d'une telle hospitalité. Après avoir pris une douche dans le bain de vapeur et avoir passé un épais pull noir et un pantalon de survêtement, elle dîna avec Kit et ses parents, qui se délectèrent de ses anecdotes sur le Brésil et de ses réflexions sur la vie dans les Hamptons. Lorsque ses parents se furent retirés, elle aida Kit à charger le lave-vaisselle et à nettoyer la cuisine.

Ils ramenèrent l'édredon de Kit et se blottirent dessous, sur le divan, afin de regarder les nouvelles. Plusieurs coulées de boue étaient signalées du côté des falaises, et le niveau de la mer montait dangereusement.

– J'espère que les Perry sont en sécurité, dit Jacqui, en se rongeant les ongles.

Elle s'inquiétait pour eux, mais s'inquiétait aussi de ce qui risquait de se passer à son retour. Elle était certaine de se faire renvoyer par Anna à la seconde où elle pointerait le bout de son nez.

– Je suis sûr que tout va bien pour eux, dit Kit. J'ai parlé à Ryan, et ils ont l'air d'avoir la situation bien en main.

Jacqui posa la tête sur l'épaule de Kit. Elle n'aurait jamais imaginé qu'il puisse être autre chose qu'un ami. Or, assise près de lui sur le divan, à l'abri de son foyer chaleureux et protecteur, elle ressentait les premiers symptômes d'un sentiment plus profond – un sentiment qui dépassait la simple convoitise – et elle réalisa que c'était peut-être cela d'*aimer* quelqu'un, en opposition à *désirer*.

– Il faut me laisser un peu de temps, murmura-t-elle, en posant la main sur la joue de Kit.

Il était si pâle, avait la peau tellement sensible. Et ses cheveux étaient d'un blond presque blanc. Pas de doute... il y avait là du potentiel.

– Hein ? demanda-t-il d'une voix ensommeillée.

– Rien, répondit Jacqui.

– Ça va, tu es bien ?

Jacqui hocha la tête. Elle ne s'était jamais sentie, de sa vie, aussi à l'aise.

# Mara n'a jamais vu un aussi beau peignoir !

Mara eut presque pitié de Ryan. Il paraissait si triste, planté là, dans la cuisine, dégoulinant de pluie, son paquet de risotto à réchauffer à la main.

– Écoute, tu ne me dois aucune explication, dit-elle.

Cette pensée lui brisait le cœur, mais si Eliza et Ryan étaient heureux ensemble, il lui faudrait bien trouver le moyen de se réjouir pour eux.

– Ah bon ? demanda Ryan, déconcerté.

– Je sais que vous sortez ensemble, Eliza et toi... Tant mieux. Je vous souhaite d'être heureux, c'est tout, dit-elle d'une voix brisée.

Ryan s'avança en traînant les pieds, et posa son paquet de riz.

– Mais c'est ce que j'essaie de te dire... Je ne sors pas avec Eliza. Eliza et moi... sommes simplement amis. (Il s'approcha d'elle.) De très bons amis, mais rien de plus.

– Vous n'êtes pas ensemble ? Eliza et toi ? Mais... je ne comprends plus rien.

Elle vit alors qu'il avait les lèvres violettes.

– Oh, mon Dieu, tu es gelé, s'écria-t-elle, avant que Ryan eût pu ajouter quoi que ce soit.

– Mais j'ai quelque chose à te dire…, insista Ryan, tout ruisselant de pluie.

– Très bien, mais tout d'abord, tu vas retirer ces vêtements mouillés et te mettre au chaud. Allez, viens.

– Oui… j'ai froid, dit-il en claquant des dents. Tu m'accompagnes ?

Il commença à retirer ses habits, tout en se dirigeant vers sa chambre. Lorsqu'ils parvinrent en haut de l'escalier, Mara remarqua qu'un domestique avait fait du feu dans la cheminée de sa chambre. Ryan s'assit juste à côté et peu à peu, parut se réchauffer.

– Tiens, dit-elle, en lui tendant une serviette de toilette blanche et duveteuse. Faut que tu te sèches, tu risques d'attraper un rhume ou un truc dans ce goût-là.

– Mara, une seconde… Il faut qu'on parle ! répéta Ryan en se frottant la nuque avec la serviette. Ça te dérange pas ? demanda-t-il en tirant sur son tee-shirt trempé.

– Euh… oh… non, balbutia Mara en tournant la tête. Vas-y, je ne regarde pas.

Ryan éclata de rire.

– Non, je veux dire… Tu veux bien m'aider ?

Mara cessa soudain d'être embarrassée, tandis qu'elle l'aidait à se débarrasser de ses vêtements mouillés. Il retira son jean mouillé, et Mara lui tendit le peignoir. Il lui semblait si beau, avec sa peau hâlée contre le tissu éponge, et son corps presque nu…

– Alors Mara… voilà ce que je voulais te dire…, bafouilla-t-il. Enfin… c'est pas facile.

– Oui ? demanda Mara, le regardant avec espoir.

– C'est juste que… eh bien… cet été… tu sais… je… je…

Il secoua la tête et regarda les flammes avec tristesse.

– Tu m'as manqué cet été, avoua-t-il enfin. Ce qui m'a manqué... ce qui me manque... c'est la Mara d'autrefois.

– Moi aussi, elle me manque, dit Mara, la gorge nouée, en s'asseyant au bord du lit.

La Mara d'autrefois. La Mara d'avant le scandale des boucles d'oreilles, d'avant l'épisode Garrett, d'avant le surnom des sœurs Perry. Où était-elle, la Mara d'autrefois ? Si la petite provinciale de Sturbridge n'existait plus, elle ne s'était pas non plus transformée en snobinarde des Hamptons.

– Ryan, j'ai honte de moi... je me suis tellement mal comportée... je...

Ses yeux s'embuèrent de larmes. Puis elle se mit à pleurer, sans pouvoir s'arrêter.

– Je me suis laissé entraîner, poursuivit-elle, alors que tout ce que je désirais c'était être avec toi. Je ne sais même pas ce que je faisais avec Garrett pendant tout ce temps. Je voulais simplement te rendre jaloux.

– Eh bien, ça a marché !

Il rit, et vint s'asseoir près d'elle.

– Je crois que lui aussi n'était avec moi que pour te rendre jaloux, dit Mara. Quand il a rompu, il m'a dit que ça avait valu la peine « rien que par rapport à Perry », ou un truc dans le genre...

Ryan secoua la tête.

– Il est comme ça depuis qu'on est gosses. Il m'a piqué ma petite copine, quand on était en sixième. En seconde, j'ai amené une fille au bal de fin de trimestre, et c'est lui qui l'a raccompagnée chez elle, dit-il en haussant les épaules. C'est un enfoiré.

Mara lui serra le genou, et sourit de la façon dont Ryan venait de résumer le personnage de Garrett. Effectivement, c'était un enfoiré.

– Tu sais, j'ai vraiment pas assuré quand tu m'as dit que c'était fini, reprit Ryan. J'aurais dû aller à Sturbridge. Et essayer de te faire changer d'avis.

– J'aurais jamais imaginé sortir avec quelqu'un comme toi, reconnut-elle. Je me suis dit qu'en rompant la première, je souffrirais moins.

Ils ne s'étaient pas regardés de toute la discussion, préférant adresser leurs confidences aux flammes. Mara finit par se tourner pour faire face à Ryan, et écarta les mèches qui lui retombaient sur le front.

– J'ai fait tellement de choses cet été que je regrette, soupira-t-elle. J'ai été affreuse avec Eliza et Jacqui. Et quand ma sœur est venue, je me suis montrée si grossière.

– Eliza, Jacqui et ta sœur, elles finiront par te pardonner, la rassura-t-il. Tout va s'arranger.

– Non. Tout le monde me déteste et...

Avant qu'elle ait pu terminer sa phrase, il l'embrassait. Et elle lui rendait son baiser. C'était si doux que c'en était presque douloureux

Il l'attira vers lui, et enfonça les mains dans ses cheveux. Elle l'enlaça. Ils s'embrassèrent encore et encore, sans même prendre le temps de respirer, comme si seule importait la communion de leurs deux âmes à travers leurs baisers. Elle frissonna, il ouvrit son peignoir et l'en enveloppa, elle aussi.

Mara ferma les yeux, à la fois euphorique et nerveuse. Il était tout pour elle, elle était tout pour lui. Il était tout ce qu'elle avait toujours voulu et, bien qu'elle redoutât toujours d'avoir gâché tellement de choses, elle s'abandonna. On aurait dit qu'ils étaient faits l'un pour l'autre. Et leurs corps se disaient ce que leurs cœurs ressentaient depuis déjà si longtemps.

# Voilà pourquoi William était incontrôlable !

Le lendemain matin, l'eau avait reflué, et les éboueurs commençaient à dégager les autoroutes couvertes de branchages et d'arbres arrachés. Kit raccompagna Jacqui chez les Perry. Le 4 × 4 progressait péniblement dans la boue. Le vent ne soufflait plus par rafales, et il avait enfin cessé de pleuvoir. La tempête s'était déplacée vers le nord, mais avait dévasté les Hamptons. Plusieurs demeures bâties à flanc de coteau avaient été totalement détruites. Et, lorsque Kit se gara dans l'allée des Perry, Jacqui et lui remarquèrent que le château des Reynolds, où du moins ce qui en restait, était dans un triste état.

– Mince ! dit Kit d'un ton joyeux. J'espère qu'ils étaient assurés.

– C'était une telle horreur, ça vaut mieux comme ça !

Elle regarda la maison des Perry, le ventre noué. Il était temps d'affronter ce qui l'attendait – être virée, quoi ! Mais, tandis qu'elle rassemblait son courage, et se préparait mentalement à faire ses valises et à retourner sur-le-champ au Brésil, un vieux taxi pourri s'arrêta de l'autre côté de l'allée circulaire. Philippe ouvrit le coffre et entassa ses valises à l'intérieur.

Il s'en allait ? Jacqui croyait qu'il était censé rester tout l'été. Certes, il y avait des tas de choses qu'elle ignorait à son sujet. Elle regarda le beau garçon, et se sentit idiote mais pas désespérée. Philippe lui adressa un vague signe de la main.

– Tu vas où ? demanda-t-elle.

Il haussa les épaules et mit ses lunettes de soleil.

– *Au revoir, ma chérie !*

Il extirpa une cigarette de son paquet, et monta à l'arrière du taxi.

Laurie surgit de la maison.

– Et ne revenez surtout pas ! Vous avez de la chance qu'on ne porte pas plainte ! Si on vous épargne les ennuis, c'est seulement par égard pour votre tante !

Le Dr Abraham bouscula Laurie, portant des valises cabossées recouvertes de tissu écossais.

– Attends, mon gars ! Moi aussi, j'ai besoin qu'on me dépose à la gare !

Le Dr Abraham adressa à Laurie un timide signe de tête et monta à son tour dans la voiture.

Jacqui grimpa les marches imbibées d'eau. La maison Perry paraissait presque intacte.

– Que s'est-il passé ? s'enquit-elle auprès d'Anna, qui avait suivi toute la scène depuis l'entrée.

La blonde glacée la détailla de pied en cap.

– Vous n'êtes pas au courant ? répliqua-t-elle, d'un ton soupçonneux.

– Au courant de quoi ? demanda Jacqui, déconcertée.

– Mais vous avez appelé Philippe hier soir..., dit Anna.

Jacqui rougit.

– Je... j'étais coincée sur la route 27. J'ai eu une panne

d'essence, et j'étais prise dans l'ouragan. J'ai essayé la maison, mais la ligne était coupée, expliqua-t-elle.

Le visage d'Anna se détendit.

– Alors, pour de bon, vous n'étiez pas au courant ?

– Au courant de quoi ?

– Philippe est un trafiquant de drogue, lança Laurie.

Elle raconta d'une voix haletante comment Anna avait découvert que Philippe et le Dr Abraham vendaient du Ritalin, de l'Adderall, du Valium et de l'Ambien dans les Hamptons et les banlieues environnantes.

C'était donc pour ça que son téléphone sonnait tout le temps ! Vraisemblablement, Philippe avait commencé à faucher les ordonnances de William afin de satisfaire certaines commandes. Le docteur s'était rendu compte du manège de Philippe et, au lieu de le dénoncer, lui avait fait d'autres ordonnances et avait prélevé sa part des profits. L'ouragan avait plongé nombre de gens dans l'angoisse, et Philippe avait fait beaucoup de livraisons, cette semaine-là. Anna avait découvert la vérité lorsqu'elle l'avait surpris en train de fourrer les pilules de William dans son sac à dos, alors qu'elle parcourait la maison à la recherche de ses médicaments à elle. C'est pourquoi elle avait dit « Philippe a fermé boutique » lorsque Jacqui avait appelé.

Désireuse d'éviter le scandale, Anna avait préféré renvoyer Philippe et le docteur plutôt qu'intenter des poursuites. Elle était plus sensible à l'inconvenance de la chose qu'à son aspect criminel. Elle ne voulait pas voir son nom dans les journaux – du moins, pas pour ce genre de raison.

Anna congédia Laurie. Elle toucha le bras de Jacqui, dans un geste complice.

– Au fait, je vous félicite d'être parvenue à garder vos distances pendant tout l'été, dit-elle avec un clin d'œil. Je sais à quel point il peut se montrer charmant.

Bien que Jacqui ne fût pas totalement parvenue à garder les distances avec Philippe, elle évita de le préciser. Peut-être Philippe n'avait-il pas été l'amant d'Anna – ce coup de fil du domicile des Perry, le soir du motel, avait tout aussi bien pu être passé par le Dr Abraham. Jacqui ne saurait sans doute jamais la vérité qui, au fond, lui était égale.

- Quoi qu'il en soit, ma petite Jacqui, je tenais à vous rappeler que vous devrez être de retour à New York à la fin du mois d'août. J'enverrai un billet d'avion chez vous, au Brésil. Ça vous convient ? demanda Anna.

– Vous voulez dire que j'ai le boulot ? s'écria Jacqui.

– Évidemment. Et mon amie, à Stuyvesant, dit qu'on vous y admettra sans difficulté. Nous n'allons pas envoyer William à Eton, finalement, puisqu'il a raté l'examen d'entrée. Et après tout ce qui s'est passé avec Philippe, je ne pense pas que sa tante, notre nounou habituelle, reviendra travailler pour nous. Nous aurons donc absolument besoin de quelqu'un pour s'occuper des enfants.

Jacqui éclata de rire. Au bout du compte, elle obtenait tout ce qu'elle avait désiré. Et, en regardant Kit aider Ryan à ramasser les branches cassées, elle réalisa qu'elle obtenait peut-être bien plus que ce qu'elle avait mérité.

# L'été se termine plus vite que prévu mais le prochain arrivera bien assez tôt

Cet après-midi-là, Anna annonça que la famille Perry regagnerait New York plus tôt que prévu. Il restait encore deux semaines avant la rentrée. Or, s'attarder dans les parages pour nettoyer la maison et le jardin ne correspondait pas à l'idée qu'Anna se faisait des loisirs. Les filles seraient payées jusqu'à la fin de l'été, comme prévu. Mais, à partir du lendemain matin, on n'aurait plus besoin de leurs services.

La cuisine étant inutilisable à cause des dégâts des eaux, Jacqui proposa de faire une véritable *churrascaria* brésilienne (une grillade de steaks, de saucisses, de poulet et d'agneau) pour fêter le fait d'avoir survécu à l'ouragan. À présent que la tempête était passée, le ciel était clair et dégagé. La soirée rêvée pour un barbecue ! Jacqui prépara même un pichet de caipirinha, la version brésilienne du mojito, certaine que ses amies apprécieraient.

Elle invita Eliza à se joindre à elles. Après avoir un peu hésité, celle-ci accepta. Elle avait pas mal de choses à dire à Mara, et le moment était venu. Jeremy et elle arrivèrent au crépuscule dans sa bonne vieille camionnette, manœuvrant prudemment sur les routes cahoteuses, et évitant les arbres arrachés. Ils se dirigèrent vers le patio d'où s'échappait une

307

délicieuse odeur de viande grillée. Les enfants jouaient alentour, faisant de l'escrime avec les branches brisées.

Eliza vit Mara et Jacqui, qui s'occupaient du gril. Mara était fraîche et rayonnante. Pour la première fois cet été-là, elle portait ses propres vêtements – un tee-shirt blanc tout simple et un pantalon de treillis.

– *Hola, chicas* ! lança Eliza, imitant Jacqui du mieux qu'elle pouvait.

Mara leva la tête au son de sa voix. Eliza était vêtue du jean Sally Hershberger et du top Missoni acheté en solde. Quant à Jacqui, elle cachait son faux iroquois sous le foulard Pucci. Mara était heureuse que ses amies aient toutes deux conservé un souvenir de la garde-robe de Mitzi.

– Il faut qu'on parle, Mara, dit Eliza, rassemblant son courage.

Mara acquiesça.

– Ouais, ce serait pas mal.

– Toi aussi, Jac, précisa Eliza. Toutes les trois. Il y a trop longtemps qu'on ne l'a pas fait.

Les filles marchèrent lentement vers la plage. Jacqui se tenait entre Eliza et Mara, espérant être le beurre de cacahuète qui les souderait à nouveau comme un sandwich... Elles contemplèrent les mouettes qui planaient au-dessus des vagues et l'océan qui scintillait dans l'or du soleil couchant. L'ouragan avait remué les fonds sableux, et la plage était jonchée de coquillages brisés et autres débris.

Enfin, Eliza se tourna vers Mara.

– Je suis vraiment désolée. Pour tout. J'espère vraiment que... enfin... tu sais, j'espère, que je ne ferai jamais rien pour te nuire, dit-elle d'une voix tremblante. Je sais que Ryan et toi, vous êtes faits l'un pour l'autre. J'ai commis une erreur, et je suis réellement désolée. Je regrette de pas t'avoir parlé de Palm Beach plus tôt. J'ai essayé, mais j'ai renoncé trop vite.

– Arrête, Liza… ne pleure pas ! dit Mara. J'ai été horrible avec toi le jour du défilé, et je t'ai accusée d'avoir volé ces maudites boucles d'oreilles. J'ai tellement honte. Tout est ma faute, aussi.

– Non, c'est à cause de moi, insista Eliza en s'essuyant le visage d'une main.

Elle attrapa l'ourlet de son ravissant chemisier Missoni et se moucha avec. Ce geste lui ressemblait tellement peu que Mara et Jacqui ne purent qu'éclater de rire.

Mara hocha la tête.

– J'ai confiance en toi.

Et, écoutant son cœur, elle sut que c'était vrai. Elle avait vraiment confiance en Eliza. Les gens se trompent parfois. Elle était bien placée pour le savoir. Et, aussi heureuse fût-elle d'avoir retrouvé Ryan, l'amitié d'Eliza était tout aussi importante à ses yeux. On ne rencontre que quelques véritables amis au cours d'une existence, et il faut tout faire pour conserver ceux qu'on a eu la chance de trouver.

Les yeux d'Eliza s'embuèrent à nouveau de larmes.

– Eh les filles, déclara-t-elle d'une voix brisée, j'espère que vous savez que j'ai jamais eu de meilleures amies que vous !

Jacqui passa les bras sur les épaules de ses deux amies, et toutes trois se tinrent enlacées. Mara commença elle aussi à sangloter et Jacqui, sans bien comprendre pourquoi, s'y mit également. Elles s'étaient senties si seules, les unes sans les autres.

– Hé, regardez ! dit Jacqui en désignant des détritus qui

s'étaient échoués sur la plage. Ça ne serait pas notre bouteille ?

Mara avait peine à y croire, mais c'était bien la bouteille de rhum dans laquelle elles avaient caché leur message, au tout début de l'été. Quelle coïncidence extraordinaire !

Eliza retira le bouchon et extirpa le message. En haut du morceau de papier, leur mot à elles :

*Bonjour de Mara Waters, Eliza Thompson et Jacarei Velasco, dans les Hamptons. Nous passons le plus bel été de notre vie. Si vous trouvez la bouteille, veuillez écrire votre nom et un petit mot, et la balancer dans l'océan.*

En bas de la page, une main avait griffonné les mots suivants :

*Bonjour de la Nouvelle-Écosse, au Canada, de Sandra Shepherd, Alana King et Margritte Lyon. Nous avons trouvé votre bouteille qui flottait, sur la plage de White Point. Nous aussi, nous passons un été génial !*

Jacqui, Eliza et Mara éclatèrent de rire. C'était un petit miracle.

– La Nouvelle-Écosse ! Mon Dieu, c'est très loin ! fit remarquer Eliza.

– C'est sans doute l'ouragan qui l'a entraînée aussi loin, suggéra Jacqui. Ou plutôt ramenée.

– Je me demande si elles nous ressemblent, dit Mara d'un ton songeur, en portant la main à son cou.

Le collier de perles de chez Mikimoto. Mitzi lui avait assuré qu'elle pourrait le garder, au début de l'été. C'était le seul véritable cadeau qu'elle lui avait fait. Mara songea à une certaine grande rousse... sa sœur l'adorerait, c'est sûr

– L'été prochain... on reviendra ! déclara Eliza. L'été prochain… je sais que vous allez trouver ça ringard, mais je jure que ce sera le meilleur été qu'on passera jamais ! Ce sera le meilleur été de notre vie !

Jacqui et Mara sourirent avec indulgence. Toutes pensaient à cette annonce sur Internet qui les avait réunies. Travaille-raient-elles à nouveau pour les Perry ? Ryan avait parlé à Mara des petits bungalows qu'on pouvait louer, sur la plage. Eliza planifiait déjà son prochain stage, dans le stylisme, peut-être – en tous les cas, pas dans le milieu des boîtes de nuit ! Et Jacqui… Eh bien, Jacqui songeait à Kit, qui lui avait paru si mignon la veille, et à réaliser son rêve : entrer à l'université de New York.

Au lendemain de l'ouragan régnaient le calme et la paix. C'était une purification, une catharsis.

Les Hamptons se relèveraient. Pendant l'automne, on répa-rerait les routes, on reconstruirait les monstrueuses bâtisses. Et, en mai, une nouvelle équipe de filles débarqueraient, pleines d'espoir, avides de soleil et de rires. Elles s'amuse-raient, tomberaient amoureuses, et s'enivreraient de cham-pagne sur les plages de sable blanc.

Mara, Jacqui et Eliza firent le serment de revenir l'été pro-chain. Un an serait si vite passé.

# REMERCIEMENTS

Merci à Les Morgenstein, Josh Bank, Ben Schrank et tous les gens de chez Alloy, pour leur esprit, leur sagesse et leurs encouragements. Merci à Emily Thomas et Jennifer Zatorski, à Tracy van Straaten et à Rick Richter, de Simon & Schuster, pour leur précieux soutien. Je tiens également à remercier Deborah Schneider et Cathy Gleason pour leurs conseils avisés.

Tout mon amour et ma reconnaissance à ma famille, en particulier les DLC ; Bert, Ching et Francis de la Cruz ; à Aina, Steve et Nicholas Green ; aux Johnston ; à Dennis, Marsha, John, Anji, Alexander, Tim, Rob, Jenn et Valerie, ainsi qu'à la totalité des Ong, des de la Cruz, des Torres, des Gaisano et des Izumi existants ! Merci à Kim de Marco, à Deborah « Diva » Gittel, à Thad et Gabby Sheely, à Tristan Ashby, Gabriel Sandoval, Liz Craft, Caroline Suh, Tyler Rollins, Karen Robinovitz, Audrey Slivka, Katie Davis, Tina Hay, Tom Dolby, Lisa Marsh, Alyssa Giacobbe, Sarah Eisen, Jason Oliver Nixon, Andrew Stone, Paige Herman, Juliet Gray, Shoshanna Lonstein Gruss, et Ed « Jean-Luc » Kleefield.

Merci au Flatotel, à Khrystine Muldowney chez Chanel, à Siren PR, à Norah Lawlor et à tous ceux du Lawlor Media Group pour la fabuleuse soirée de lancement à New York. Merci à Citrine, à Nadia, à Meredith et à tous ceux de Wagstaff Worldswide pour la fête géniale sur la côte Ouest.

Merci à tous ceux qui m'ont conseillée, et que je ne peux pas tous citer ici. Je ne vous oublie pas.

Enfin, je tiens à remercier tous ceux d'entre vous qui ont envoyé des e-mails, rédigé des critiques ou discuté dans leurs blogs d'*Un été pour tout changer*. Je vous suis reconnaissante de votre enthousiasme et de votre bienveillance. Et vous souhaite bien des étés drôles et scandaleux !

# D'autres livres

Jodi Lynn ANDERSON, *Peau de pêche*
Jennifer Lynn BARNES, *Felicity James*
Meg CABOT, *Une (irrésistible) envie de sucré*
Melissa DE LA CRUZ, *Un été pour tout changer*
Melissa DE LA CRUZ, *Une saison en bikini*
Sarah MLYNOWSKI, *Sortilèges et sacs à main*
Sarah MLYNOWSKI, *Crapauds et Roméos*
Sarah MLYNOWSKI, *Tout sur Rachel !*
Chloë RAYBAN, *Les Futures Vies de Justine*
Chloë RAYBAN, *Dans la peau d'un garçon*

**www.wiz.fr**
**Logo Wiz : Cédric Gatillon**

*Composition Nord Compo.*
*Impression Bussière, en mai 2007.*
*Éditions Albin Michel*
*22, rue Huyghens, 75014 Paris.*

*ISBN : 978-2-226-17049-1*
*N° d'édition : 25413. N° d'impression : 071937/4.*
*Dépôt légal : juin 2006.*
*Loi n° 49-956 du 16 juillet 1949*
*sur les publications destinées à la jeunesse.*
*Imprimé en France.*